Das Buch

»Mein Fehler mit Olivia war, mich als von ihr verspeist betrachtet zu haben, während in Wahrheit ich . . . derjenige war . . ., der sie verspeiste.« ›Unter der Jaguar-Sonne‹ Mexikos werden die kulinarischen Freuden aus der Küche einer fremden alten Welt, die womöglich geprägt ist durch das Bemühen, den Geschmack der Menschenopfer zu überdecken, zum erotisch-kannibalischen Genuß. Den Plan, die fünf Sinne des Menschen literarisch zu manifestieren, konnte Italo Calvino nicht ganz zu Ende führen, doch in diesen drei Geschichten über den Geruchs-, Geschmacks- und Gehörsinn lernen wir ihn noch einmal »als den großen Zauberer und Verführer kennen, der den Leser in die Wirklichkeit seiner Bücher entführt, in denen kraft der Phantasie und der kunstvollen Arbeit mit den Wörtern eine eigene Welt entsteht« (Claus- Ulrich Bielefeld in der ›Frankfurter Allgemeinen Zeitung‹).

Der Autor

Italo Calvino wurde am 15. Oktober 1923 in Santiago de las Vegas/Kuba geboren. Er wuchs in San Remo auf, kämpfte im Zweiten Weltkrieg als Partisan gegen die Deutschen, studierte Literatur in Turin und arbeitete nach dem Krieg als Journalist und Lektor. Er starb am 19. September 1985 in Siena.

Italo Calvino:
Unter der Jaguar-Sonne
Drei Erzählungen

Deutsch von Burkhart Kroeber

Deutscher
Taschenbuch
Verlag

Von Italo Calvino
sind im Deutschen Taschenbuch Verlag erschienen:
Das Schloß, darin sich Schicksale kreuzen (10284)
Die unsichtbaren Städte (10413)
Wenn ein Reisender in einer Winternacht (10516; auch
als dtv großdruck 25031)
Der Baron auf den Bäumen (10578)
Der geteilte Visconte (10664)
Der Ritter, den es nicht gab (10742)
Herr Palomar (10877)
Abenteuer eines Reisenden (10961)
Zuletzt kommt der Rabe (11143)

Januar 1991
Deutscher Taschenbuch Verlag GmbH & Co. KG,
München
© The Estate of Italo Calvino
Titel der italienischen Originalausgabe:
›Sotto il sole giaguaro‹ (Garzanti Editore s.p.a.,
Mailand 1986)
© 1987 der deutschsprachigen Ausgabe:
Carl Hanser Verlag, München · Wien
ISBN 3-446-15010-2
Umschlaggestaltung: Celestino Piatti
Umschlagbild: Rotraut Susanne Berner
Gesamtherstellung: C.H. Beck'sche Buchdruckerei,
Nördlingen
Printed in Germany · ISBN 3-423-11325-1

Inhalt

Der Name, die Nase

Wie Inschriften in einem unentzifferbaren Alphabet, bei denen die Hälfte der Buchstaben ausgelöscht ist vom Schmirgel des sandigen Windes, so werdet ihr bleiben, Parfümerien, für den künftigen Menschen ohne Nase. Noch werdet ihr uns die lautlosen Glastüren öffnen, unsere Schritte auf den Teppichen dämpfen, uns in eurem kantenlosen, zum Schrein gestalteten Raum empfangen, zwischen den lackierten Holzverkleidungen der Wände, noch werden Verkäuferinnen und Chefinnen, angemalt und fleischig wie künstliche Blumen, uns streifen mit ihren runden Armen, während sie mit Zerstäubern hantieren, oder uns mit dem Saum ihrer Röcke berühren, während sie auf die Hocker steigen und sich auf Zehenspitzen erheben; doch die Flakons und Phiolen und Fläschchen mit den zwiebelturmspitzen oder facettierten gläsernen Stöpseln werden vergeblich weiter ihr Netz aus Akkorden Konsonanzen Dissonanzen Kontrapunkten Modulationen Progressionen von einem Wandbord zum andern spannen: Unsere tauben Nasen werden die Noten der Skala nicht mehr erfassen; die Moschus-Aromen werden sich nicht mehr von denen des Zedernöls unterscheiden, Ambra und Reseda, Bergamott und Benzoe bleiben stumm, versiegelt im ruhigen Schlaf der Flakons. Vergessen das Alphabet des Geruchssinns, das sie zu ebensovielen Vokabeln eines preziösen Lexikons machte, werden die Düfte sprachlos bleiben, unausgedrückt, unlesbar.

Ganz andre Schwingungen konnte eine große Parfümerie im Gemüt eines Mannes von Welt erregen – wie damals auf den Champs Elysées, als meine Kutsche auf einen brüsken Ruck der Zügel vor einem bekannten Firmenschild hielt und ich in fliegender Hast hinaussprang, eilends den ganz in Spiegeln gefaßten Salon betrat, mit einem Schlag Mantel Zylinder Stock und Handschuhe in die Hände der Mädchen fallen ließ, die sofort herbeigestürzt waren, um sie mir abzunehmen, indes Madame Odile mir entgegenschwebte, als flöge sie auf ihren Rüschen: »Monsieur de Saint-Caliste! Welcher gute Wind? Womit, sagen Sie, womit kann ich Ihnen dienen? Ein Eau de Cologne? Ein Vetiveröl? Eine Pomade für die Moustache? Eine Lotion, die dem Haar seine echte Ebenholzfarbe wiedergibt? Oder« – und sie flatterte mit den Wimpern, während sich ihre Lippen zu einem maliziösen Lächeln schürzten – »handelt es sich um einen Zusatz zur Liste der Geschenke, die meine Laufburschen jede Woche diskret unter Ihrem Namen an illustre oder obskure Adressen in ganz Paris expedieren? Sind Sie gekommen, um Ihrer getreuen Madame Odile eine neue Eroberung anzuvertrauen?«

Und da ich überwältigt von meiner Erregung schwieg und nur die Hände wand, begannen die Mädchen sich schon ans Werk zu machen: Die eine nahm mir die Gardenie aus dem Knopfloch, damit ihr wenn auch nur schwacher Duft nicht die Wahrnehmung der Parfums störte, die andere zog mir das seidene Tuch aus der Brusttasche, um es bereit zu haben für die Tropfen der Proben, zwischen denen ich wählen sollte, eine dritte sprühte mir Rosenwasser auf die Weste, um den Zigarrengeruch zu neutralisieren, eine vierte pinselte mir geruchlosen Lack auf den Schnurrbart, damit er sich nicht mit den diversen Essenzen durchtränkte und dergestalt meine Nase belästigte.

Und die Chefin: »Ich sehe, es ist eine Leidenschaft! Wie lange schon habe ich das bei Ihnen erwartet, Monsieur! Sie können mir nichts verhehlen! Ist es eine große Dame? Eine Königin der Comédie? Oder eine des Variétés? Oder sind Sie bei einem leichtsinnigen Ausflug in die demimonde unerwartet auf dem Gefühl ausgeglitten? Doch vor allem, in welche Kategorie würden Sie die Dame klassifizieren: Ist sie eine für *Jasminaten*, für *Fructizeen*, für *Penetrants*, für *Orientalen*? Sagen Sie's mir, *mon chou!*«

Und schon tupfte mir eine der Verkäuferinnen, Martine, mit der Fingerspitze ein Tröpfchen Patschouli hinters Ohr (und drückte dabei ihre Brustspitze unter meine Achsel), und Charlotte bot mir zum Riechen ihren mit Akazienblütenextrakt beträufelten Arm (mit diesem System hatte ich andere Male ganze Musterkollektionen auf ihrem Körper durchprobiert), und Sidonie blies mir

auf die Hand, um das Tröpfchen Eglantine verdunsten zu lassen, das sie daraufgetupft hatte
(zwischen ihren Lippen blitzten die kleinen Zähne, deren Bisse ich so gut kannte), und eine andere, die ich noch nie gesehen hatte, eine Neue (die
ich, beschäftigt, wie ich war, nur mit einem zer-
streuten Kniff bedachte), nahm mich mit dem
Zerstäuber aufs Korn, dessen Gummibirne sie
drückte, als wollte sie mich zu einem Liebesduell
einladen.

»Nein, Madame, das ist es nicht, *ma foi*!«
brachte ich endlich heraus. »Was ich suche, ist
nicht das passende Parfum für eine Frau, die ich
kenne! Es ist die Frau selbst, die ich suche: eine
Frau, von der ich nichts anderes kenne als das
Parfum!«

Momente wie diese sind es, in denen Madame
Odiles methodischer Geist sein Bestes gibt, erlaubt doch nur eine strenge mentale Ordnung,
über eine Welt ungreifbarer Effluvien zu herr-
schen. »Gehen wir durch Ausschließung vor«,
sagte sie in sachlichem Ton. »Riecht es nach
Zimt? Enthält es Zibet? Ist es veilchenartig? Hat
es einen Mandelgeruch?«

Doch wie konnte ich mit Worten das zehrende
und zugleich wilde Gefühl beschreiben, das ich
beim Maskenball am Abend zuvor empfunden
hatte, als meine mysteriöse Walzerpartnerin mit
einer trägen Geste den Tüllschleier abstreifte, der
ihre weiße Schulter von meinem Schnurrbart
trennte, und mir ein streifig-geschmeidiger

Schwaden in die Nasenlöcher fuhr, als söge ich die Seele einer Tigerin ein?

»Es ist ein anderes Parfum, *ma foi!* Ein Parfum, das keinem von denen gleicht, die Sie mir jemals vorgesetzt haben, Madame Odile!«

Schon erklommen die Mädchen die höchsten Regale, reichten behutsam fragile Phiolen hinunter und öffneten sie kaum eine Sekunde, als fürchteten sie, die Luft könne die darin bewahrten Essenzen verderben.

»Dieses Heliotropöl«, erklärte Madame Odile, »benutzen nur vier Damen in ganz Paris: die Duchesse de Clignancourt, die Marquise de Ménilmontant, die Frau des Käsefabrikanten Coulommiers und seine Geliebte... Diesen Palisanderextrakt bekomme ich jeden Monat exklusiv für die Botschafterin des Zaren... Hier eine Mixtur, die ich auf Bestellung nur für zwei Kundinnen zubereite: die Prinzessin von Baden-Holstein und die Kurtisane Carole... Und was diese Artemisia angeht, so erinnere ich mich genau an jede der Damen, die sie einmal gekauft haben, aber kein zweites Mal; es scheint, daß sie auf die Männer deprimierend wirkt.«

Es war ebendies, was ich von der präzisen Erfahrung Madame Odiles verlangte: einen Namen zu finden für eine Erregung des Olfaktorius, die ich weder zu vergessen noch im Gedächtnis zu behalten vermochte, ohne daß sie langsam verblaßte. Ich hatte es eilig, auch die Parfums im Gedächtnis verdunsten: Jedes neue Aroma, das man mir unter die Nase hielt, ließ, während es sich mir als verschieden, ja unendlich fern von jenem aufdrängte, mit seiner präpotenten Anwesenheit die Erinnerung an jenes abwesende Parfum etwas mehr verblassen, reduzierte sie zu einem Schatten. »Nein, schärfer... ich meine frischer... nein, dichter...« In diesem Hin und Her auf der Skala der Gerüche verlor ich mich, ich wußte bald nicht mehr, in welcher Richtung ich meiner Erinnerung folgen sollte, ich wußte nur, daß sich an einem bestimmten Punkt der Skala eine Leere auftat, eine verborgene Falte, in der sich jenes Parfum einnistete, das für mich eine ganze Frau war.

Und ging's mir nicht ebenso, als die Savanne die Wälder die Sümpfe ein Netz von Gerüchen waren und wir gesenkten Kopfes dahintrabten ohne den Kontakt mit dem Erdboden zu verlieren, wobei wir uns mit den Händen und mit der Nase den Weg suchten, und alles was wir kapieren mußten kapierten wir mit der Nase eher als mit den Augen, Mammut Stachelschwein Zwiebel Dürre Regen sind alle zuerst Gerüche die sich von den anderen Gerüchen abheben, das Eßbare Uneßbare Unsere Feindliche die Höhle die Gefahr, alles spürt man zuerst mit der Nase, alles ist in der Nase, die Welt ist Nase, wir von der Horde wissen mit der Nase wer zur Horde gehört und wer nicht, die Weibchen der Horde haben einen Geruch der ist der Geruch der Horde, und dazu hat jedes Weibchen noch einen Geruch der es von den anderen Weibchen unterscheidet, zwischen uns, zwischen ihnen ist auf den ersten Blick nicht viel Unterschied, wir sehn alle gleich aus und wozu solln wir lange dastehn und schauen, der Geruch, ja den hat jeder ein bißchen anders als die andern, der Geruch sagt dir gleich ohne Fehl was du wissen mußt, es gibt keine Worte oder Nachrichten die präziser sind als die die du mit der Nase empfängst. Mit der Nase hab ich herausgefunden daß in der Horde ein Weibchen ist das nicht wie die andern ist, nicht wie die anderen für mich für meine Nase, und ich bin ihrer Spur im Gras nachgelaufen, hab mit meiner Nase alle Weibchen beschnuppert die vor mir gelaufen sind vor meiner Nase in der Horde, und da hab ich sie gefunden sie war's die mich gerufen hatte mit ihrem Geruch mitten unter all den andren Gerüchen, da jetzt sauge ich sie mit der Nase ein, sie, ganz, ihren Liebesruf. Die Horde ist immerzu auf den Beinen sie läuft sie trabt, und wenn du mitten im Lauf plötzlich stehnbleibst steigen sie dir alle von hinten drauf überrennen dich treten dich nieder verwirren dir die Nase mit ihren Gerüchen, ich bin ihr von hinten draufgestiegen aber schon drängen die anderen nach überrennen uns steigen uns drauf von hinten auf sie auf mich, alle Weibchen beschnuppern mich, alle Männchen und alle Weibchen drängen sich zwischen uns mit ihren Gerüchen die nichts zu tun haben mit dem einen Geruch den ich vorhin gerochen hatte und den ich jetzt nicht mehr rieche, warte ich such ihn wieder, ich suche nach ihrer Spur im zertrampelten staubigen Gras, ich beschnüffle beschnuppere alle Weibchen aber keins hat ihren Geruch, ich laufe verzweifelt inmitten der Horde und suche nach ihr mit der Nase.

Im übrigen jetzt wo ich aufwache im Geruch vom Gras und wo ich die Hand drehe um mit dem Besen zlwan zlwan zlwan auf der Trommel zu machen als Antwort auf das tlan tlan tlan das Patrick auf den vier Saiten gemacht hat, weil ich glaub ich spiel noch immer She knows and I know aber dabei wars bloß Lenny der sich da schweißgebadet abmühte mit den zwölf Saiten und eins von den Mädchen aus Hampstead das da unten im Knien mit ihm Sachen machte während er spielte ding bong dang iang und alle anderen waren gegangen auch ich, einfach hingeknallt das Schlagzeug zusammengebrochen habs nicht mal gemerkt, ich versuch noch mit der Hand die Trommeln zu retten daß sie mir nicht kaputtgehn, da seh ich so runde Sachen weiß im dunkeln, ich streck die Hand aus und berühr Fleisch mit so'nem Geruch fühlt sich an wie warmes Fleisch von 'nem Mädchen, ich such die Trommeln im dunkeln die da auf den Boden gerollt sind zusammen mit den Bierdosen zusammen mit allen die sich da auf dem Boden rollen nackt zwischen den umgekippten Aschenbechern, der schöne warme Arsch in der Luft, dabei ist es gar

nicht so warm um nackt auf dem Boden zu schlafen, okay wir sind viele hier drinnen und eingeschlossen seit werweiß wieviel Stunden aber in
den Gasofen muß man Pennies reinstecken weil
der ist ausgegangen und stinkt bloß noch, und ich
also stoned wie ich war wach hier auf bibbernd
mit kaltem Schweiß auf dem Rücken und alles
nur wegen dem Scheißzeug das die uns zu rau-
chen gegeben haben, diese Typen die uns in diese
stinkige Bude gebracht haben hier bei den Docks
mit der Entschuldigung daß wir hier jeden Krach
machen könnten den wir wollten die ganze Nacht
lang und ohne daß die üblichen Bullen kämen,
und irgendwo mußten wir schließlich ja hin nachdem sie uns in Hammersmith rausgeschmissen
haben, na aber in Wirklichkeit wollten die sich
bloß diese Mädchen untern Nagel reißen die uns
nachgelaufen sind aus Hampstead und wir haben
nicht mal genug Zeit gehabt um zu sehen was für
welche und wie die so waren, weil wir haben ja
immer 'n ganzen Pulk Mädchen um uns rum
überall wo wir hingehen und spielen, und besonders wenn Robin loslegt mit Have mercy, have
mercy on me, dann kommen die so in Stimmung
daß sie gleich Sachen machen wollen und dann
fangen auch gleich die andern alle an und wir
spielen weiter da oben schweißüberströmt und
ich dresch rein am Schlagzeug hop-zum hop-zum
hop-zum, und sie unten, Have mercy, have mercy
on me, ma-am, und so war's auch gestern abend,
dabei hatten wir überhaupt nix gemacht mit die-

sen Mädchen die schließlich Groupies von unserer Gruppe sind und logo müßten eigentlich wir es ihnen besorgen und nicht die andern.

So rappel ich mich also auf um diesen Scheißgasofen zu suchen und Pennies reinzustecken damit er wieder geht, ich steig barfuß über die Haare Hintern Gitarren Kippen Bierdosen Titten umgekippten Whiskygläser auf dem Filzteppich, jemand muß hier auch hingekotzt haben, besser ich geh auf allen vieren, so kann ich wenigstens sehn wo ich hintret, kann mich sowieso kaum auf den Beinen halten, so erkenn ich die Typen am Geruch, wir von der Gruppe mit all dem Schweiß der an uns klebt wir erkennen uns immer gleich, die andern stinken bloß immer nach ihrem beschissenen Gras und nach ihren dreckigen Haaren, auch die Mädchen waschen sich nicht grade viel aber ihre Gerüche vermischen sich mal 'n bißchen mit den andern Gerüchen mal trennen sie sie 'n bißchen vom Rest, und immer wieder mal trifft man auch auf besondere Gerüche bei diesen Mädchen die sich schon lohnen daß man sie schnuppert, zum Beispiel an den Haaren wenn's Haare sind die nicht zuviel den Rauch absorbieren, und dann natürlich logo auch an anderen Stellen, und so krabbel ich also schnuppernd über die schlafenden Mädchen und krabbel, bis ich an 'nem bestimmten Punkt haltmache.

Ich mein, es ist ja schon schwierig, den Geruch von der Haut von 'nem Mädchen wirklich zu riechen, besonders wenn es so viele sind und alle übereinander, aber auf einmal riech ich da unter mir eine Haut von 'nem Mädchen, die sicher weiß ist, so'nen weißen Geruch mit der besonderen Kraft von Weiß, so'nen leicht gesprenkelten Geruch von wahrscheinlich leicht pigmentierter Haut, ich mein von so'ner Haut mit feinen und vielleicht kaum erkennbaren Sommersprossen, so'ne Haut die atmet wie die Poren von Blättern, wie eine Wiese, und der ganze Gestank rundum bleibt vor dieser Haut 'n Stück auf Distanz, sagen wir zwei Zentimeter oder auch bloß Millimeter, weil ich fang jetzt an diese Haut überall zu riechen, diese Haut von ihr die da schläft, das Gesicht in den Armen versteckt, das womöglich rote Haar lang über Schultern und Rücken, die langen Beine ausgestreckt duftig-frisch auf den Tisch in den Kniekehlen, jetzt ja jetzt atme und rieche ich nur noch *sie*, und sie die im Schlafen gespürt haben muß daß ich sie rieche, hat offenbar nichts dagegen, denn jetzt stützt sie sich hoch auf die Ellbogen immer mit dem Gesicht nach unten und ich fühl ihr mit der Hand unter die Achsel und gleite runter und fühl sie bis zur Spitze der Brust, und weil ich mich logo 'n bißchen rittlings über sie beuge kommt es mir ganz automatisch daß ich in der Richtung drücke in die es mich zieht und in der ich fühle daß es auch sie mir entgegenzieht, und so halb im Schlaf finden wir die richtige Stellung daß wir uns so zusammenfinden daß ich sie und sie mich uns jetzt richtig echt prima finden.

Die Kälte die wir dabei nicht gespürt haben

spüren wir hinterher, und mir fällt ein daß ich ja Pennies in den Gasofen stecken wollte, und ich steh also auf und löse mich von der Insel ihres Geruchs und krabbel weiter über die fremden Leiber mitten durch lauter unvereinbare ja widerliche Gerüche, ich suche in den Klamotten der andern nach Pennies, ich suche den Ofen indem ich dem Gasgeruch folge und setze ihn wieder in Gang, er pufft und stinkt wie noch nie, ich suche das Klo indem ich dem Klogeruch folge, ich pisse bibbernd im grauen Morgenlicht, das durch das kleine Fenster eindringt, ich kehre zurück ins Dunkel ins Innere in den Atem der Leiber, jetzt muß ich nochmal da durch um dieses Mädchen wiederzufinden von dem ich nichts anderes weiß als welchen Geruch sie hat, es ist schwierig im dunkeln zu suchen aber auch wenn ich sie sehen würde wie sollte ich wissen ob sie es ist, ich weiß ja nur wie sie riecht, also krabbel ich schnuppernd über die Leiber die da am Boden liegen, und einer faucht mich an fuck off und gibt mir einen Schlag mit der Faust, dieser Platz ist irgendwie komisch, es scheint als ob überall Räume wären in denen Typen pennen, ich hab die Orientierung verloren ich hab sie nie gehabt, diese Mädchen hier riechen anders, einige könnten ganz gut *sie* sein bloß der Geruch ist anders, inzwischen ist Howard aufgewacht und hat schon wieder den Baß in der Hand und spielt schon wieder Don't tell me I'm through, mir scheint ich bin schon einmal ganz durch, aber wo steckt sie bloß wo hat sie sich versteckt zwischen all diesen Mädchen die ich jetzt zu sehen beginne im ersten Dämmerlicht, aber ich rieche nicht was ich riechen will, ich suche rum wie ein Blödmann und kann sie nicht finden, Have mercy, have mercy on me, ich gleite von Haut zu Haut und suche nach der verlorenen Haut die keiner andern Haut gleicht.

Für jede Haut einer Frau gibt es ein Parfum, das ihre Duftnote steigert, die Note der Skala, die ein Ensemble von Farbe Geschmack Geruch und Geschmeidigkeit ist, und so findet das Vergnügen, von Haut zu Haut zu gleiten, kein Ende. Wenn die Lüster der Salons am Faubourg Saint-Honoré meinen Auftritt bei den Galafesten illuminierten, überwältigte mich die betäubende Wolke der Parfums, die aus den perlengesäumten Dekolletés aufstiegen, aus dem weichen Fond von bulgarischer Rose erhoben sich stechende Schwaden von Kampfer, die der Amber den seidenen Kleidern anhaften ließ, und ich beugte mich, um die Hand der Duchesse du Havre-Caumartin zu küssen und den Jasminduft einzusaugen, der aus ihrer leicht lymphatischen Haut aufstieg, und ich reichte der Comtesse de Barbès-Rochechouart den Arm, und sie umfing mich mit dem Sandelholzduft, der ihren herben braunen Teint gleichsam umhüllte, und ich half der Baronesse de Mouton-Duvernet aus dem Sealottercape, und ihren Alabasterschultern entstieg ein Fuchsia-Schwaden. Unschwer wußten meine Pa-

pillen den Parfums ein Gesicht zu geben, die
Madame Odile jetzt vor mir Revue passieren
ließ, indem sie die Stöpsel ihrer perlgrauen
Fläschchen vor meiner Nase hob: Derselben
Übung hatte ich mich schon am Abend zuvor
beim Maskenball des Ordens der Ritter vom
Heiligen Grab unterzogen; es gab keinen Namen einer Dame von Adel, den ich nicht unter
der goldgewirkten Larve erraten hätte. Bis *sie* erschien, eine schwarze Maske vor dem Gesicht,
auf Schultern und Brust ein Schleier nach anda-
lusischer Art, und vergeblich fragte ich mich,
wer sie sei, vergeblich suchte ich, während ich
ihr beim Tanzen näherkam als erlaubt, in meinem Gedächtnis nach einem Gegenstück zu jenem nie gekannten Parfum, das den Duft ihres
Körpers enthielt wie eine Auster die Perle. Ich
wußte nichts von ihr, und doch schien mir, als
wüßte ich alles von ihr in jenem Parfum, ich
wünschte mir eine Welt ohne Namen, in welcher
ganz allein jenes Parfum als Name genügt hätte,
als Ausdruck für alle Worte, die sie mir sagen
konnte – jenes Parfum, das ich nun verloren
wußte im flüssigen Labyrinth der Madame Odile, verdunstet in der Erinnerung, nicht mehr zu-
rückrufbar, nicht einmal, wenn ich mir in Erinnerung rief, wie sie mir ins Treibhaus zu den
Hortensien folgte. Unter meinen Zärtlichkeiten
schien sie bald gefügig zu sein, bald heftig, ja
kratzbürstig widerstrebend. Sie ließ mich ver-
hüllte Partien aufdecken, die Intimität ihres Duf-

tes erforschen, solange ich nur nicht versuchte, ihr die Maske vom Gesicht zu ziehen.

»*Mais enfin*, warum soviel Geheimnis?« rief ich schließlich voller Ungeduld aus. »Sagen Sie mir, wo und wann werde ich Sie wiedersehen, oder besser: Sie sehen!«

»Insistieren Sie nicht, Monsieur«, erwiderte sie. »Eine Drohung lastet auf meinen Tagen. Still: Da ist er!«

Ein Schatten in Kapuze und violettem Domino war in dem Empire-Spiegel an der Wand erschienen.

»Ich muß der Person dort folgen«, sagte die Frau. »Vergessen Sie mich. Jemand übt eine grauenvolle Macht auf mich aus.«

Und noch ehe ich sagen konnte: »Vertrauen Sie meinem Degen!«, war sie schon entschwunden, gefolgt von dem violetten Domino, der eine Spur von orientalischem Tabak im Maskengewühl hinterließ. Ich weiß nicht, durch welche Tür es ihnen gelang zu entkommen, ich folgte ihnen vergeblich, und vergeblich bestürmte ich mit meinen Fragen die Kenner von tout Paris. Ich weiß nur, daß ich keinen Frieden finden werde, solange ich nicht die Spur jenes feindlichen Geruches und jenes geliebten Duftes wiederfinde, solange der eine mich nicht auf die Spur des anderen führt und das Duell, in dem ich meinen Feind niederstrecken werde, mir nicht das Recht gibt, die Maske zu lüften, die mir jenes Gesicht verbirgt.

Da ist ein feindlicher Geruch der mir jedesmal in die Nase steigt, wenn ich glaube den Geruch des Weibchens wiedergefunden zu haben, nach dem ich auf der Fährte der Horde suche, ein Feindesgeruch der sich mit ihrem Geruch vermischt, und ich blecke die spitzen Hundezähne und schon bin ich voller Wut, ich sammle Steine auf reiße knorrige Äste ab, wenn ich sie schon nicht mit der Nase finden kann will ich wenigstens die Befriedigung haben zu wissen zu wem dieser Feindesgeruch gehört der mich so wütend macht. Die Horde wechselt im Laufen manchmal plötzlich die Richtung und dann kommt der ganze Haufen von hinten über dich her und so fühl ich auf einmal wie meine Kiefer auf den Boden schlagen durch einen Hieb auf den Kopf, ein Fuß tritt mir auf den Hals und am Geruch erkenne ich über mir das feindliche Männchen das an mir den Geruch seines Weibchens erkannt hat und mich jetzt fertigzumachen versucht indem es mich gegen den Felsen knallt, und ich erkenne an ihm den Geruch von ihr und mich packt eine rasende Wut und ich richte mich auf und ich schlage die Keule mit aller Kraft auf seinen Kopf bis ich den Blutgeruch rieche, ich springe auf ihn mit meinem ganzen Gewicht und bearbeite ihm den Schädel mit Steinsplittern Felsbrocken Elchkiefern Pfriemen aus Knochen Harpunen aus Horn, während sich alle Weibchen im Kreis um uns scharen und zugucken wer gewinnt. Natürlich bin ich es, der gewonnen hat, ich stehe auf und torkele zwischen die Weibchen, aber ich kann sie nicht finden, sie die ich suche, blutverklebt und verdreckt wie ich bin kann ich nicht mehr gut riechen, besser ich erhebe mich auf die Hinterbeine und gehe ein bißchen aufrecht.

Es gibt schon ein paar bei uns die diese Gewohnheit angenommen haben, auf den Hinterbeinen zu gehen ohne sich mit den Händen irgendwo aufzustützen, und sie schaffen es sogar schnell zu gehen, mir dreht sich ein bißchen der Kopf ich strecke die Hände aus um mich an einen Ast zu klammern wie damals als wir die ganze Zeit auf den Bäumen waren, aber dann merk ich daß es mir ganz gut gelingt das Gleichgewicht zu halten auch so hier oben, der Fuß drückt sich fest auf die Erde und die Beine gehen vorwärts auch ohne daß ich die Knie biege. Wenn man die Nase so hoch in die Luft hält entgeht einem natürlich allerhand – Signale die du empfängst wenn du am Boden schnupperst und all die Spuren der Tiere riechst die da vorbeigelaufen sind, oder wenn du die andern in der Horde beschnupperst besonders die Weibchen. Aber dafür empfängt man hier oben anderes: die trocknere Nase riecht Gerüche von weiterher die der Wind herbeiträgt, die Früchte an den Bäumen die Eier der Vögel in ihren Nestern. Und die Augen helfen der Nase, sie erfassen die Dinge im Raum, die Blätter der Sykomore, den Fluß, den blauen Streifen des Waldes, die Wolken.

Schließlich gehe ich raus an die Luft und atme den Morgen die Straße den Nebel, man sieht nichts außer den Mülleimern voller Fischreste Blechdosen Nylonstrümpfe, an der Ecke ist der Laden von so'nem Pakistani offen wo man Ananas kaufen kann, ich komme an eine Nebelwand und es ist die Themse. Vom Geländer aus sieht man wenn man genau hinsieht die Schatten der üblichen Schlepper, man riecht den üblichen Schlamm und das Dieselöl, weiter hinten fangen die Lichter der Rauch von Southwark an. Ich zieh mir den Nebel stoßweise rein, ich hau mit der Stirn an die Nebelwand im Rhythmus dieser Gitarrenakkorde von In the morning I'll be dead die mir nicht aus dem Kopf gehn.

Mit stechenden Kopfschmerzen trete ich aus der Parfümerie; ich würde am liebsten sofort zu jener Adresse in Passy eilen, die ich Madame Odile entrissen habe, zwischen vielen dunklen Anspielungen und vagen Vermutungen, aber ich rufe dem Kutscher zu: »Rasch in den Bois, Auguste, und bitte in flottem Trab!« Und kaum hat der Phaeton sich in Bewegung gesetzt, atme ich tief und lange durch, um mich von all den Ausdünstungen zu befreien, die sich in meinem Schädel vermengt haben, ich genieße den Ledergeruch der Polster und des Zaumzeugs, den Geruch des Pferdes, den Gestank seiner Äpfel und seines dampfend warmen Urins, ich rieche wieder die tausend festlichen oder vulgären Gerüche in der

Pariser Luft, und erst als die Sykomoren des Bois de Boulogne mich in die Lymphe ihres Laubwerks eintauchen und die Rasensprenger der Gärtner den Geruch der Erde aus dem Klee aufsteigen lassen, gebe ich Auguste die Anweisung, nach Passy zu fahren.

Das Portal des Palais steht halb offen. Leute gehen hinein, Herren mit Zylindern, verschleierte Damen. Bereits im Atrium empfängt mich ein schwerer Blumenduft wie von fauliger Vegetation; ich trete ein, trete zwischen die brennenden Wachskerzen, zwischen die Chrysantemenkörbe Veilchenkissen Asphodelenkränze, im offenen ringsum ausgepolsterten Sarg kann ich das Gesicht nicht erkennen, das mit einem Schleier bedeckt ist und in Binden gehüllt, als wiese ihre Schönheit noch im Zerfall der Züge den Tod zurück, doch ich erkenne den Fond, den Widerhall jenes Parfums, das keinem anderen gleicht, nun vermengt mit dem Totengeruch, als seien sie nie zu trennen gewesen.

Ich möchte gern jemanden fragen, mich erkundigen, doch die Leute ringsum sind lauter Fremde, vielleicht Ausländer; ich nähere mich einem älteren Herrn, der am fremdartigsten von allen aussieht, einem Schwarzbefrackten mit olivbraunem Gesicht und rotem Fez, der reglos neben dem Sarg steht; ich sage leise, aber deutlich, ohne mich an jemand Bestimmten zu wenden: »Und zu denken, daß sie um Mitternacht noch getanzt hat, und sie war die Schönste auf dem Ball...«

Der Mann mit dem Fez sagt leise, ohne sich umzudrehen: »Was reden Sie da, mein Herr? Um Mitternacht war sie tot.«

Wenn man aufrecht steht mit der Nase im Wind, empfängt man Signale die unklarer sind aber reicher an Bedeutungen und an Verdachtsmomenten, Signale die du mit der Nase am Boden vielleicht gar nicht wahrnehmen würdest, die du dich geradezu weigern würdest zur Kenntnis zu nehmen, bei denen du dich abwenden würdest wie jetzt bei diesem Geruch, der von der Felsenschlucht drüben kommt, in die wir von der Horde die ausgeweideten Tiere werfen, die Innereien die Knochen, und wo die Geier kreisen. Da unten hat sich der Geruch verloren dem ich gefolgt bin, und von da unten steigt er je nachdem wie der Wind weht manchmal auf, zusammen mit dem Gestank von zerlegten Kadavern und dem Geruch der Schakale die sie noch warm zerlegen und dem Geruch vom Blut das auf den Felsen in der Sonne trocknet.

Und als ich wieder raufgeh um die andern zu suchen weil mir jetzt schien ich hätt den Kopf wieder klarer gekriegt im Nebel und wär jetzt vielleicht imstande sie wiederzufinden und zu kapiern wer sie war, da ist keiner mehr da, werweiß wann die alle gegangen sind während ich unten am Embankment war, alle Zimmer sind leer, bloß die Bierdosen und meine Trommeln und der Ge-

stank von dem Ofen ist jetzt unerträglich geworden, und ich geh durch alle Zimmer und da ist
eins das ist zu, genau das mit dem Ofen den man
so stark durch die Türritzen riecht daß einem
schlecht werden kann, und ich fang an mit der
Schulter gegen die Tür zu stoßen bis sie nachgibt,
und drinnen ist alles voll Gas ein dicker schwar-
zer ekliger Qualm vom Boden bis an die Decke,
und auf dem Boden, was ich da seh, bevor ich
mich zusammenkrümm und mich übergeben
muß, ist die lange weiße Gestalt, lang ausgestreckt, das Gesicht in den Haaren verborgen,
und wie ich sie an den starren Beinen rauszieh
riech ich in dem erstickenden Gasgeruch ihren
Geruch, den Geruch den ich jetzt zu verfolgen
und zu unterscheiden versuch in der Ambulanz
in der Notaufnahme zwischen den Gerüchen von
Desinfektionsmitteln und von der Flüssigkeit die
von den Marmortischen im Leichenschauhaus
runtertropft, und die Luft ist immer noch voll
davon besonders bei feuchtem Wetter draußen.

Unter der Jaguar-Sonne

Gustare, in genere, esercitare il senso del gusto, rice-
verne l'impressione, anco senza deliberato volere, o
senza riflessione poi. L'assaggio si fa più determinan-
te a fin di gustare e di sapere quel che si gusta; o
almeno denota che dell'impressione provata abbiamo
un sentimento riflesso, un' idea, un principio d'espe-
rienza. Quindi è che *sapio,* ai latini, valeva in traslato
sentir rettamente; e quindi il senso dell'italiano *sapere,* che da sé vale dottrina retta, e il prevalere della
sapienza sopra la scienza.

Niccolò Tommaseo, ›Dizionario dei sinonimi‹

Oaxaca spricht man Uacháka aus. Das Hotel, in
dem wir abgestiegen waren, war ursprünglich das
Santa-Catalina-Kloster gewesen. Als erstes war
uns ein Bild aufgefallen, in einem kleinen Salon,
der zur Bar führte. Die Bar hieß »Las Novicias«.
Das Bild war ein großes dunkles Ölgemälde, das
eine junge Nonne und einen alten Priester zeigte,
stehend, Seite an Seite, die Hände leicht abge-
spreizt, fast einander berührend. Eher steife Figuren für ein Gemälde aus dem achtzehnten Jahrhundert: eine Malerei in der etwas groben Anmut
der Kolonialkunst, die jedoch ein beunruhigendes Gefühl vermittelte, wie ein erstarrtes Zucken
verhaltener Qual.

Den unteren Teil des Bildes füllte ein langer
erklärender Text, in engen Zeilen einer gedräng-
ten ungelenken Kursivschrift, schwarz auf weiß.

Andächtig wurde darin das Leben und Sterben der beiden dargestellten Personen gepriesen, die der Kaplan und die Äbtissin des Klosters gewesen waren (sie, von adliger Herkunft, war mit achtzehn Jahren als Novizin eingetreten). Der Grund, weshalb sie zusammen porträtiert worden waren, war die außerordentliche Liebe (das Wort präsentierte sich in der frommen spanischen Prosa aufgeladen mit seinem überirdischen Sinn), welche die Äbtissin und ihren Beichtiger dreißig Jahre lang miteinander verbunden hatte, eine so große Liebe (das Wort in seiner spirituellen Bedeutung sublimierte die körperliche Erregung, ohne sie jedoch auszulöschen), daß, als der Priester gestorben war, die um zwanzig Jahre jüngere Äbtissin noch selbigen Tages erkrankte und buchstäblich vor Liebe (das Wort erglühte in einer Wahrheit, in welcher alle Bedeutungen konvergieren) dahinschied, um sich im Himmel mit ihm zu vereinen.

Olivia, deren Spanischkenntnisse besser waren als meine, half mir beim Entziffern der Geschichte, indem sie mir die Übersetzung einiger dunkler Ausdrücke nahelegte; und es waren dies die einzigen Worte, die zu wechseln uns während und nach der Lektüre ankam, als hätten wir uns vor einem Drama oder vor einem Glück befunden, das jeden Kommentar fehl am Platze sein ließ; etwas, das uns erschauern, ja erschrecken ließ, oder besser gesagt, das uns eine Art Unbehagen einflößte. So jedenfalls versuche ich zu beschreiben, was ich empfand: das Gefühl eines Mangels, einer verzehrenden Leere; was Olivia empfand, vermag ich, da sie schwieg, nicht zu erraten.

Dann sprach Olivia. »Ich würde gern *chiles en nogada* essen«, sagte sie. Und mit Schlafwandlerschritten, als wären wir nicht ganz sicher, daß wir den Boden berührten, begaben wir uns zum Restaurant.

Wie es in den besten Momenten im Leben eines Paares vorkommt, hatte ich Olivias Gedankengang augenblicklich rekonstruiert, ohne daß sie noch etwas zu sagen brauchte; und dies, weil sich dieselbe Assoziationskette auch in meinem Kopfe gebildet hatte, wenngleich undeutlicher und nebulöser, so daß sie mir ohne Olivias Hilfe nicht hätte bewußt werden können.

Unsere Reise durch Mexico währte schon länger als eine Woche. Wenige Tage zuvor, in Tepotzotlán, in einem Restaurant, dessen Tische sich unter den Orangenbäumen eines anderen Klosterkreuzganges reihten, hatten wir Speisen gekostet, die (so war uns zumindest gesagt worden) nach den alten Rezepten der Nonnen zubereitet worden waren. Wir hatten einen *tamál de elote* gegessen, das heißt einen feinen süßen Maisgrieß mit geschnetzeltem Schweinefleisch und sehr scharfen Peperoni, das Ganze gedämpft zusammen mit einem Maisblatt; dann *chiles en nogada*, und das waren rotbraune, etwas runzlige Peperoni in einer Tunke aus Nüssen, deren pikante Herbheit und bitterer Grundgeschmack

sich in einer cremig-süßlichen Nachgiebigkeit
verloren.

Seit jenem Moment evozierte der Gedanke an
Nonnen in uns die Köstlichkeiten einer raffinier-
ten und kühnen Küche, einer Küche, deren ganzes Bestreben es ist, die extremen Noten der Ge-
schmacksskala ins Vibrieren zu bringen, um sie
zusammenzufügen in Modulationen, Akkorden
und vor allem in Dissonanzen, die sich dem Gaumen als eine Erfahrung ohne Vergleich gleich auf-
drängen, als ein Punkt ohne Wiederkehr, eine ab-
solute Inbesitznahme durch totale Ausnutzung
der Empfänglichkeit aller Sinne.

Der mexikanische Freund, der uns auf jenem
Ausflug begleitet hatte, ein hochgebildeter Mann
namens Salustiano Velazco, senkte bei seiner
Antwort auf Olivias Frage nach den Rezepten
jener klösterlichen Gastronomie die Stimme, als
vertraue er uns indelikate Geheimnisse an. Es war
dies seine Art zu reden, oder genauer: eine seiner
Arten; die Informationen, die Salustiano uns
reichlich gab (sein Wissen über die Geschichte
und die Gebräuche und die Natur seines Landes
war unerschöpflich), wurden entweder empha-
tisch wie Kriegserklärungen vorgetragen oder
maliziös angedeutet, als wären sie voller Hinter-
gedanken wer weiß welcher Art.

Olivia hatte bemerkt, daß Gerichte wie diese
zweifellos Stunden und Stunden der Zubereitung
voraussetzten, und davor noch eine lange Reihe
von Experimenten und Perfektionierungen. »Ha-

ben die denn ihre ganze Zeit in der Küche ver-
bracht, diese Nonnen?« hatte sie gefragt und sich
ganze Leben vorgestellt, die der Suche nach neu-
en Mischungen von Ingredienzen und Variatio-
nen in der Dosierung gewidmet waren, dem ge-
duldigen Kombinieren und Experimentieren, der
Überlieferung eines minutiösen exakten Wissens.

Tenían sus criadas – sie hatten ihre Domesti-
ken«, hatte Salustiano geantwortet und uns erklärt, daß die Töchter aus Adelsfamilien, wenn
sie ins Kloster gingen, ihre Dienerinnen mitzu-
bringen pflegten, so daß die Nonnen zur Befriedigung ihrer läßlichen Gaumengelüste, der einzigen, die ihnen gestattet waren, auf eine emsige
und unermüdliche Schar von Hilfskräften zählen
konnten. Sie selber brauchten lediglich die Re-
zepte zu ersinnen und auszuprobieren und zu
vergleichen und zu korrigieren, die ihren in jene
Mauern eingeschlossenen Phantasien Ausdruck
zu geben vermochten: Phantasien auch raffinier-
ter Frauen, auch glühender, introvertierter, hoch-
komplizierter Frauen, Frauen mit Bedürfnissen
nach Absolutem, mit Lektüren, die von Ekstasen
und Verklärungen und Martyrien und Torturen
handelten, Frauen mit kontrastierenden Trieben
im Blut, mit Genealogien, in denen die Abstam-
mung von den Conquistadoren sich mit der von
indianischen Fürstinnen oder von schwarzen
Sklavinnen mischte, Frauen mit Kindheitserinne-
rungen an Früchte und Aromen einer, wiewohl
auf jenen sonnendurchglühten Altiplanos ge-

wachsenen, saftigen und fermentreichen Vegetation.

Auch durfte man nicht die sakrale Architektur vergessen, die das Leben jener Nonnen umgab, eine Architektur mit demselben Drang zum Extremen, der zur Verschärfung aller Geschmäcker und ihrer Steigerung durch die Glut der pikantesten *chiles* führte. Wie der barocke Kolonialstil dem Wuchern der Ornamente und dem Prunk keine Grenze setzte, da sich für ihn die Gegenwart Gottes in einem minutiös kalkulierten Delirium exzessiver und überschwenglicher Sensationen erfüllte, so erschloß das Brennen der zweiundvierzig heimischen Sorten von kundig für jede Speise ausgewählten Pfefferschoten die Perspektiven einer flammenden Ekstase.

In Tepotzotlán hatten wir die Kirche besichtigt, welche die Jesuiten sich dort im achtzehnten Jahrhundert für ihr Seminar erbaut hatten (um sie dann, kaum daß sie eingeweiht war, verlassen zu müssen, für immer aus Mexico vertrieben): eine Theater-Kirche, ganz in Gold und lebhaften Farben, in einem tanzenden, akrobatischen Barock, überladen mit fliegenden Engeln, Girlanden, Blumengebinden, Muscheln. Sicher hatten die Jesuiten sich vorgenommen, mit dem Glanz der Azteken zu wetteifern, deren Tempel und Paläste – der Königspalast des Quetzalcoatl! – noch als Ruinen unübersehbar von einer Herrschaft kündeten, die mit Hilfe der suggestiven Effekte einer verklärenden und grandiosen Kunst ausgeübt worden war. Es lag eine Herausforderung in der Luft, in dieser trockenen dünnen Luft auf zweitausend Meter Höhe: die alte Herausforderung zwischen den Kulturen Amerikas und Hispaniens in der Kunst des Betörens der Sinne durch verführerische Halluzinationen, und von der Architektur griff diese Herausforderung auf die Küche über, wo die beiden Kulturen dann miteinander verschmolzen waren, oder wo vielleicht die der Besiegten, gestärkt durch die auf heimischem Boden gewachsenen Kräuter, gewonnen hatte. Durch weiße Hände von Novizinnen und braune Hände von Bekehrten gegangen, hatte die Küche der neuen hispano-indianischen Zivilisation sich gleichfalls zum Schlachtfeld entwickelt, zum Ort des Kampfes zwischen der aggressiven Wildheit der alten Götter des Altiplano und dem gewundenen Überschwang der barocken Religion...

Auf der Speisekarte des Hotelrestaurants in Oaxaca fanden wir keine *chiles en nogada* (das gastronomische Lexikon änderte sich von Ort zu Ort, indem es uns immer neue Begriffe zu lernen und Empfindungen zu unterscheiden anbot), dafür aber *guacamole* (ein Püree aus Avocados und Zwiebeln, das man mit knusprigen *tortillas* einnimmt, die in kleine Stücke zerbrochen und wie Löffelchen in die dicke Creme getunkt werden: die fette Weichheit der *aguacates* – der mexikanischen Nationalfrucht, die man in der Welt unter dem verstümmelten Namen *avocado* kennt – begleitet und akzentuiert durch die kantige Trokkenheit der *tortilla,* die ihrerseits viele Geschmäcker haben kann, während sie vorgibt, keinen zu haben), danach *guajolote con mole poblano* (Puter mit Puebla-Sauce, unter den vielen *moles* einer der edelsten – er wurde am Tische des Moctezuma serviert – und einer der arbeitsaufwendigsten – seine Zubereitung erfordert nicht weniger als drei Tage – und einer der kompliziertesten – er verlangt vier verschiedene Sorten von *chiles,* Knoblauch, Zwiebeln, Zimt, Nelken, Pfeffer, Kümmel, Koriander, Sesam, Mandeln, Rosinen, Erdnüsse und etwas Schokolade), schließlich noch *quesadillas* (eine andere Art von Tortilla, bei welcher der Käse in den Teig gerührt und mit Hackfleisch und gerösteten Blättern garniert wird).

Olivias Lippen hielten mitten im Kauen inne, bis sie beinahe zum Stillstand kamen, ohne jedoch die Kaubewegung völlig zu unterbrechen, vielmehr sehr langsam weiterkauend, als horchte sie einem inneren Echo nach, während ihr Blick in einer Aufmerksamkeit ohne sichtbares Ziel erstarrte, fast wie alarmiert. Es war dies eine spezielle Konzentration des Gesichts, die ich bei ihr während der Mahlzeiten seit Beginn unserer Mexico-Reise beobachtet hatte: eine plötzliche Anspannung, deren Umsichgreifen ich verfolgen konnte, wenn sie sich von den Lippen zu den bald geblähten, bald zusammengezogenen Nasenflügeln ausbreitete. (Die Nase hat eine sehr

reduzierte Plastizität, vor allem eine so wohlge-
formte und edle Nase wie die von Olivia, und
jede kaum wahrnehmbare Bewegung mit dem
Ziel, das Volumen der Nasenlöcher im Längssin-
ne auszudehnen, macht sie im Effekt noch feiner,
während die entsprechende Reflexbewegung, die
ihre Weite betont, dann wie ein Zurückweichen
der ganzen Nase zur Gesichtsoberfläche erscheint).

Aus dem Gesagten könnte man schließen, Olivia habe sich während des Essens abgekapselt, um
sich ganz dem inneren Ablauf ihrer Empfindungen hinzugeben; in Wahrheit jedoch drückte alles
an ihr das Verlangen aus, mir ihre Empfindungen
mitzuteilen: mit mir durch die gemeinsam empfundenen Geschmäcker zu kommunizieren, oder
mit den Geschmäckern zu kommunizieren durch
einen doppelten Satz von Papillen, den ihren und
den meinen.

»Spürst du? Hast du gespürt?« fragte sie mich
mit einer Art banger Freude, als hätten genau in
jenem Moment unsere Schneidezähne einen Bissen von identischer Komposition zerteilt, als hätten die Rezeptoren meiner und ihrer Zunge soeben dasselbe Aromatröpfchen empfangen. »Ob
das der *xilantro* ist? Spürst du nicht den *xilantro?*« fragte sie weiter und meinte damit ein
Würzkraut, das wir bisher anhand des lokalen
Namens noch nicht sicher zu identifizieren ver-
mocht hatten (vielleicht Dillfenchel?), von dem
jedoch eine winzige Spur in dem gerade gekauten

Bissen genügte, um der Nase ein angenehm stechendes Prickeln zu übertragen, etwas wie einen Anflug von Trunkenheit.

Dieses Bedürfnis Olivias, mich in ihre Emotionen mit einzubeziehen, war mir sehr angenehm, denn es bewies mir, wie unentbehrlich ich für sie war und in welchem Maße die Freuden des Daseins für sie nur schätzenswert waren, wenn wir sie teilten. Nur in der Einheit des Paares – dachte ich – gelangen unsere individuellen Subjektivitäten zur Entfaltung und zur Vollständigkeit. In dieser Überzeugung mich zu bestärken war mir um so mehr ein Bedürfnis, als das körperliche Einvernehmen zwischen Olivia und mir seit Beginn unserer Mexico-Reise eine Phase des Abnehmens, wenn nicht des Schwindens durchmachte – gewiß nur ein vorübergehendes und an sich nicht weiter beunruhigendes Phänomen, vielmehr ein ganz normaler Bestandteil des normalen Auf und Ab, dem langfristig jedes Paar unterworfen ist. Auch konnte ich nicht umhin zu bemerken, daß gewisse Ausdrucksformen der Vitalität Olivias, gewisse für sie charakteristische Wallungen oder Hemmungen oder Hingaben oder Zuckungen, sich weiterhin vor meinen Augen entfalteten, ohne etwas von ihrer Intensität verloren zu haben, jedoch mit einem einzigen Unterschied von Belang: daß ihr Schauplatz nicht mehr das Bett unserer Umarmungen war, sondern ein gedeckter Tisch.

In den ersten Tagen hatte ich noch erwartet,

daß die zunehmende Gaumenerregung sich rasch auf alle unsere Sinne ausbreiten würde. Ich irrte: Aphrodisisch war diese Küche gewiß, aber nur in sich und für sich (dies jedenfalls glaubte ich zu begreifen, und was ich hier sage, gilt nur für uns in jenem Moment; ich weiß nicht, ob auch für andere, oder für uns, wenn wir uns in einem anderen Gemütszustand befunden hätten); mit anderen Worten, sie stimulierte Gelüste, die ihre Befriedigung nur in derselben Sphäre von Sinnesregungen suchten, in welcher sie entstanden waren, also durch das Essen immer neuer Gerichte, die dann erneut jene selben Gelüste stimulieren und steigern sollten.

Wir waren somit optimal in der Lage, uns vorzustellen, wie sich die Liebe zwischen der Äbtissin und dem Kaplan wohl abgespielt haben mochte – eine Liebe, die in den Augen der Welt und der beiden Liebenden selbst vollkommen keusch gewesen sein konnte und dennoch zugleich von einer Fleischlichkeit ohne Grenzen in jener Erfahrung der Geschmäcker, zu der die beiden Liebenden durch eine subtile und geheime Komplizenschaft gelangt waren.

Komplizenschaft – kaum war mir das Wort in den·Sinn gekommen, bezogen nicht nur auf die Nonne und den Kaplan, sondern auch auf Olivia und mich, gab es mir neuen Mut. Denn wenn es Komplizenschaft war, was Olivia suchte durch ihre fast schon obsessive Passion für das zu sich genommene Essen, nun, dann implizierte diese

Komplizenschaft auch, daß sich keineswegs eine Parität zwischen uns verlor, wie ich immer mehr fürchtete. Tatsächlich war mir gewesen, als hätte Olivia mich in den letzten Tagen bei ihrer Erkundung der Geschmäcker in einer subalternen Position halten wollen, gleichsam in der einer zwar notwendigen, aber sekundären Präsenz, indem sie mich zwang, ihr Verhältnis zum Essen als Zeuge zu begleiten oder als Vertrauter oder als mitfühlender Kuppler. Ich verscheuchte den unpassenden Gedanken, der mir weiß Gott wie in den Sinn gekommen war. In Wirklichkeit konnte unsere Komplizenschaft gar nicht vollkommener sein, gerade weil wir die gleiche Passion auf verschiedene Weise in Eintracht mit unseren Temperamenten lebten: Olivia sensibler für die Nuancen der Wahrnehmung und begabt mit einem mehr analytischen Gedächtnis, in dem jede Erinnerung deutlich und unverwechselbar haften blieb; ich mehr dazu neigend, die Erfahrungen verbal und begrifflich zu definieren, die Ideallinie unserer inneren Reise zu zeichnen, die wir zugleich mit der geographischen Reise vollzogen.

Dies nämlich war eine Schlußfolgerung, zu der ich gelangt war und die Olivia sich prompt zu eigen gemacht hatte (oder zu der mir Olivia vielleicht die Idee eingegeben und die ich dann lediglich in meinen Worten wiederholt hatte): Die wahre Reise, verstanden als Introjektion eines »Außen«, das sich von unserer gewohnten Außenwelt unterscheidet, impliziert eine totale Veränderung der Ernährungsweise, ein Verschlingen des besuchten Landes in seiner Fauna und Flora und seiner Kultur (wozu nicht nur die andersartigen Küchen- und Zubereitungsverfahren gehören, sondern auch der Gebrauch der andersartigen Instrumente, mit denen Körner zerstoßen oder Suppen umgerührt werden), indem man es über die Lippen führt und durch die Speiseröhre hinabgleiten läßt, es sich also buchstäblich einverleibt. Dies ist die einzige Art zu reisen, die heutzutage noch einen Sinn hat, seit man alles, was es zu sehen gibt, auch im Fernsehen sehen kann, ohne sich aus dem Sessel zu rühren. (Und man sage hier nicht, es sei dasselbe Ergebnis auch durch den Besuch der exotischen Restaurants in unseren Metropolen zu erreichen: Sie verfälschen die Realität der Küche, auf die sie sich berufen, dermaßen gründlich, daß sie unter dem Aspekt der Erkenntniserfahrung, die man aus ihnen gewinnen kann, nicht einem Dokumentarfilm gleichen, sondern einer im Studio nachgebauten und abgefilmten Rekonstruktion des Ambiente.)

Das soll nun freilich nicht heißen, daß Olivia und ich auf unserer Reise nicht alles gesehen hätten, was es zu sehen gab (und das war gewiß nicht wenig, weder an Quantität noch an Qualität). Für den nächsten Tag stand die Besichtigung der Ruinen von Monte Albán auf dem Programm; der Führer kam pünktlich zum Hotel, um uns mit dem Kleinbus abzuholen. Auf dem dürren sonnendurchglühten Hochland wachsen die Agaven für den *mezcal* und die *tequila,* die *nopales* (bei uns indische Feigen genannt), die ringsum stachligen Säulenkakteen, die blaublühenden *jacarandás.* Die Straße windet sich in die Berge. Monte Albán, zwischen den Höhen rings um ein weites Tal gelegen, ist ein Komplex von Tempelruinen mit Flachreliefs, grandiosen Treppen und Plattformen für die Menschenopfer. Das Grauen, das Heilige und das Mysterium werden verschluckt vom Tourismus, der uns vorgeprägte Verhaltensweisen diktiert, bescheidene Surrogate jener Riten. Sinnend betrachten wir diese Stufen und versuchen uns vorzustellen, wie das warme Blut herausspritzt aus den von Opferpriestern mit Steinmessern aufgeschlitzten Leibern ...

Drei Kulturen sind in Monte Albán aufeinander gefolgt, wobei sie immer dieselben Steine verschoben: Die Zapoteken zerstörten und rekonstruierten die Bauwerke der Olmeken und die Mixteken die der Zapoteken. Die Kalender der altmexikanischen Kulturen, dargestellt in den Flachreliefs, spiegeln eine zyklische und tragische Zeitauffassung: Alle zweiundfünfzig Jahre endete das Universum, die Götter starben, die Tempel wurden zerstört, jedes himmlische oder irdische Ding wechselte den Namen. Vielleicht waren die Völker, welche die Geschichte als sukzessive Bewohner dieser Territorien unterscheidet, in Wirklichkeit nur ein einziges Volk, dessen Kontinuität nie zerbrochen ist, trotz einer Geschichte voller Massaker, wie sie die Flachreliefs darstellen: Hier die eroberten Dörfer, jedes mit seinem Namen in Bilderschrift, und der Gott des Dorfes kopfunten; dort die Kriegsgefangenen in Ketten, die abgetrennten Köpfe der Opfer...

Der Führer, in dessen Obhut die Reiseagentur uns gegeben hat, ein ungeschlachter Bursche namens Alonso mit flachen Zügen wie die Figuren der Olmeken (oder Mixteken? oder Zapoteken?), erklärt uns mit großem mimischen Aufwand die berühmten Reliefs, die sogenannten »Danzantes«. Nur einige der Figuren stellen tatsächlich Tanzende dar (Alonso macht ein paar Tanzschritte); andere könnten auch Astronomen sein, die eine Hand beschirmend über die Augen legen, um die Sterne zu betrachten (Alonso posiert als Astronom); die meisten stellen jedoch gebärende Frauen dar (Alonso posiert als Gebärende). Wir erfahren, daß dieser Tempel dazu bestimmt war, schwere Geburten abzuwenden; die Reliefs waren vielleicht Votivbilder. Auch der Tanz diente übrigens zur Erleichterung der Geburten durch magische Mimesis, besonders wenn das Kind mit den Füßen zuerst herauskam (Alonso mimt die magische Mimesis). Auf einem Relief ist ein Kaiserschnitt dargestellt, mit groß erkennbarem Uterus und Eileiter (Alonso, brutaler denn je, mimt die ganze weibliche Anatomie, um vorzuführen, daß Geburt und Tod durch ein gleiches chirurgisches Blutbad verbunden waren).

Alles in den Gesten unseres Führers bekam einen düsteren Sinn, als hätten die Tempel der

Menschenopfer einen Schatten auf jede Handlung und jeden Gedanken geworfen. Alle Figuren in den Reliefs erschienen plötzlich aufs engste mit jenen blutigen Riten verbunden: Sobald die Astronomen das günstigste Datum festgesetzt hatten, wurde das Opfer von den Tänzen der Priester begleitet; sogar die Geburten schienen keinen anderen Zweck zu haben, als neue Soldaten für die Kriege zu liefern, die man führte, um neue Gefangene für die Opfer zu machen. Auch wo laufende oder kämpfende oder ballspielende Figuren dargestellt sind, handelt es sich nicht um friedliche Wettkämpfe von Athleten, sondern um Kriegsgefangene, die zum Wettkampf gezwungen wurden, um zu entscheiden, wer von ihnen als erster auf den Altar steigen mußte.

»Wer in den Wettkämpfen verlor, war zum Opfer bestimmt?« frage ich.

»Nein, wer gewann«, belehrt mich Alonso, und seine Augen beginnen zu leuchten. »Es war eine Ehre, die Brust mit einem Obsidianmesser aufgeschlitzt zu bekommen!« – Und in einem Crescendo von patriotischem Stolz auf die Ahnen fühlte der wackere Olmekenabkömmling sich verpflichtet, so wie er zuvor die Trefflichkeit des medizinischen Wissens der alten Völker gerühmt hatte, nun auch deren Sitte zu preisen, der Sonne ein zuckendes menschliches Herz darzubringen, auf daß sie am nächsten Morgen von neuem aufgehe, um die Welt mit ihrem Schein zu erleuchten.

Das war der Moment, da Olivia fragte: »Aber

was machten sie dann hinterher mit den Leibern der Opfer?«

Alonso hielt inne.

»Ja, diese Glieder, diese Eingeweide«, insistierte Olivia, »sie wurden den Göttern dargebracht, sicher, aber was geschah dann praktisch mit ihnen? Wurden sie verbrannt?«

Nein, verbrannt wurden sie nicht.

»Also was dann? Eine Gabe an die Götter konnte man doch nicht einfach vergraben, verfaulen lassen...«

»*Los zopilotes*«, sagte Alonso.

Die Geier also, sie waren es, die die Altäre abräumten und die Gaben zum Himmel trugen.

»Immer?« fragte Olivia weiter mit einer Beharrlichkeit, die ich mir nicht recht erklären konnte.

Alonso weicht aus, versucht das Thema zu wechseln, hat es auf einmal sehr eilig, uns die Gänge zu zeigen, die von den Häusern der Priester zu den Tempeln führten, wo die Priester dann in Erscheinung traten, das Gesicht unter schrecklichen Masken verborgen. Der pädagogische Eifer unseres Cicerone hatte etwas Aufreizendes, denn es schien, als wollte er uns eine Lektion einrichtern, die er zuvor vereinfacht hatte, damit sie in unsere armen profanen Köpfe hineinging, während er selber zweifellos mehr wußte, Dinge, die er für sich behielt und uns zu sagen sich wohlweislich hütete. Vielleicht war es dies, was Olivia bemerkt hatte und was sie von einem bestimmten Moment an in ein verdrossenes

Schweigen fallen ließ, das für den ganzen Rest unseres Besuches der Ruinenstätte anhielt und auch weiter noch in dem rüttelnden Jeep, der uns zurück nach Oaxaca brachte.

Ich versuchte während der holprigen Fahrt, Olivias Blick zu erhaschen, die mir gegenüber saß; doch ich bemerkte, mochte es nun am Gerüttel des Jeep liegen oder an der unterschiedlichen Höhe unserer Sitze, daß mein Blick nicht auf ihren Augen ruhte, sondern auf ihren Zähnen (sie hielt die Lippen in einem versonnenen Ausdruck geöffnet), auf Zähnen, die ich zum ersten Male nicht als das aufblitzende Strahlen des Lächelns zu sehen mich ertappte, sondern als die geeignetsten Werkzeuge für ihre eigentliche Funktion: das Eindringen ins Fleisch, das Zerteilen, Zerfleischen. Und wie man die Gedanken einer Person im Ausdruck ihrer Augen zu lesen versucht, so betrachtete ich nun diese scharfen und starken Zähne und empfand dabei ein unterdrücktes Verlangen, eine Erwartung.

Bei unserer Rückkehr ins Hotel, als wir uns dem großen Saale näherten (der Ex-Kapelle des Klosters), den wir durchqueren mußten, um den Flügel zu erreichen, in dem unser Zimmer lag, überraschte uns ein Geräusch wie von einem Wasserfall, der sich rauschend und zischend und brodelnd in tausend Rinnsale, Ströme und Strudel ergießt. Je näher wir kamen, desto mehr zerfiel dieses homogene Brausen in ein vielstimmiges Zwitschern, Flöten, Piepsen und Glucksen wie von einer flügelschlagenden Vogelschar in einer Voliere. Von der Schwelle (der Saal war einige Stufen niedriger als der Flur) erblickten wir ein Gewoge von Frühlingshüten auf den Köpfen von Damen, die um gedeckte Tische saßen.

Es war damals gerade im ganzen Lande der Wahlkampf für die Wahl des neuen Staatspräsidenten entbrannt: Die Frau des offiziellen Kandidaten hatte die Frauen der Honoratioren von Oaxaca zu einem opulenten Tee geladen. Unter dem weiten hohen Gewölbe plauderten dreihundert mexikanische Damen alle zugleich. Das grandiose akustische Ereignis, das uns sofort überwältigt hatte, war das Ergebnis ihrer Stimmen vermischt mit dem Klappern von Tassen und Löffeln und Messern, die Tortenstücke zerteilten. Ein riesengroßes farbiges Porträt einer Dame mit rundem Gesicht – die glatten schwarzen Haare straff nach hinten gekämmt, ein blaues Kleid, von dem nur der hochgeschlossene Kragen zu sehen war, das Ganze also nicht unähnlich dem offiziellen Bildnis des Vorsitzenden Mao Tse-tung – überragte die Versammlung.

Um den Patio zu erreichen und von dort unsere Treppe, mußten wir uns zwischen den Tischreihen durchdrängen; schon waren wir nahe dem Ausgang, da erhob sich im hinteren Teil des Saales eine der wenigen anwesenden männlichen Gestalten und kam uns mit ausgebreiteten Armen entgegen. Es war unser Freund Salustiano Velazco, der als repräsentative Persönlichkeit zum neuen Beraterstab des Präsidenten gehörte und in dieser Funktion an den wichtigsten Phasen des Wahlkampfes teilnahm. Wir hatten ihn seit unserer Abreise aus der Hauptstadt nicht mehr gesehen, und um uns nun mit seiner ganzen Überschwenglichkeit seine Freude über das Wiedersehen zu bekunden und sich über die letzten Etappen unserer Reise zu informieren (und vielleicht auch, um sich für einen Moment aus jener Atmosphäre zu befreien, in welcher die triumphale Prädominanz der Frauen seine chevvchevareske Sicherheit in der männlichen Suprematie zu erschüttern drohte), verließ er seinen Ehrenplatz auf dem Empfang, um uns in den Patio zu begleiten.

Noch ehe er sich richtig erkundigt hatte, was wir alles gesehen hatten, begann er uns aufzuzählen, was wir an den Orten, wo wir gewesen waren, sicher alles zu sehen versäumt hatten und was wir nur hätten sehen können, wenn wir mit ihm dort gewesen wären – ein Konversationsmodell, das die passionierten Kenner eines Landes im Gespräch mit ihren zu Besuch gekommenen Freunden anzuwenden sich verpflichtet fühlen, sicher stets in der besten Absicht, aber unweigerlich dazu angetan, die Freuden derer zu verderben, die von einer Reise zurückkehren und noch ganz erfüllt sind von ihren kleinen und großen Erfahrungen. Das muntere Lärmen der ehrenwerten Damengesellschaft erreichte uns auch im Patio und übertönte zumindest die Hälfte unserer und seiner Worte, so daß ich nie ganz sicher war, ob er uns nicht Dinge versäumt zu haben vorwarf, die gesehen zu haben wir ihm soeben erzählt hatten.

»Und heute sind wir in Monte Albán gewesen...«, beeilte ich mich mit erhobener Stimme zu sagen. »Die Stufen, die Flachreliefs, die Opferaltäre...«

Salustiano führte eine Hand zum Mund, um sie von da aus schräg in die Luft zu heben, eine Geste, mit welcher er eine Gefühlsregung auszudrücken pflegte, die zu groß war, um sie in Worte zu fassen. Alsdann begann er, uns detaillierte archäologische und ethnographische Informationen zu geben, die ich sehr gerne Satz für Satz verfolgt hätte, die sich jedoch im Getöse der Tafelgesellschaft verloren. Aus den Gesten und den wenigen Worten, die zu verstehen mir gelang – »sangre... obsidiana... divinidad solar...« –, entnahm ich, daß er von den Menschenopfern sprach, und er tat es mit einer Mischung aus bewundernder Anteilnahme und heiligem Schauder, einer Haltung, die sich von der unseres groben Cicerone in Monte Albán durch ein höheres Bewußtsein von den kulturellen Implikationen abhob.

Das war der Moment, da Olivia, die dem Redeschwall Salustianos besser als ich zu folgen vermochte, mit einer Frage eingriff; soviel ich verstand, war es die gleiche Frage, die sie an jenem Nachmittag schon Alonso gestellt hatte:

»... und was die Geier nicht forttrugen..., was geschah damit?«

Die Augen Salustianos wandten sich verständnisvoll aufblitzend an Olivia, und da begriff auch ich die Intention, die hinter ihrer Frage lag, um so mehr, als nun Salustiano ihren vertraulichen, ja komplizenhaften Ton übernahm, doch, wie es schien, gerade damit seine leiser gesprochenen Worte den Lärm, der uns trennte, leichter zu durchdringen vermochten.

»Wer weiß... Die Priester... Auch das gehörte zum Ritual... In Wahrheit weiß man davon recht wenig... Es waren geheime Zeremonien... Ja, das rituelle Mahl... Der Priester übernahm die Funktionen des Gottes... also das Opfer, als Götterspeise...«

War's das, was Olivia von ihm hören, sich von ihm bestätigen lassen wollte? Sie insistierte weiter: »Aber wie ging das vor sich, das Mahl...?«

»Ich wiederhole, es sind nur Vermutungen... Es scheint, daß auch die Fürsten teilnahmen, und die Krieger... Der Geopferte war bereits Teil des Gottes, er übertrug die göttliche Kraft...« An diesem Punkt wechselte Salustiano den Ton, wurde stolz, dramatisch, schwärmerisch: »Nur derjenige Krieger, der das Opfer gefangen hatte, durfte sein Fleisch nicht berühren... Er stand abseits, weinend...«

Olivia schien immer noch nicht befriedigt: »Aber dieses Fleisch... um es zu essen... die Küche, die heilige Küche, die Art der Zubereitung, der Geschmack... Weiß man darüber etwas?«

Salustiano war nachdenklich geworden. Der Lärm aus dem Saal hatte sich verdoppelt, und Salustiano schien auf einmal äußerst geräuschempfindlich geworden zu sein, er klopfte sich mit den Fingern an die Ohren, um auszudrücken, daß man bei diesem Krach nicht weiterreden könne. »Ja, es muß Regeln gegeben haben... Gewiß war es eine Speise, die man nicht ohne besonderes Zeremoniell verzehren konnte... die Ehren, die sie verdiente... aus Achtung vor den Geopferten, die tapfere junge Männer gewesen waren... aus Achtung vor den Göttern... Fleisch, das man nicht einfach essen kann, um zu essen, wie irgendein anderes Fleisch... Und der Geschmack...«

»Sagt man, er sei nicht gut gewesen?«

»Ein sonderbarer Geschmack, sagt man...«

»Man wird Gewürze benötigt haben... starkes Zeug...«

»Vielleicht mußte man den Geschmack verbergen... Vielleicht mußten alle Geschmäcker versammelt werden, um jenen einen Geschmack zu übertönen...«

Und Olivia: »Aber die Priester... über die Küche... haben sie denn darüber nichts Schriftliches hinterlassen... nichts überliefert?«

Salustiano schüttelte den Kopf: »Mysterium... ihr Leben war vom Mysterium umgeben.«

Und wieder Olivia, und es klang jetzt, als wäre

sie es, die ihm suggerierte: »Vielleicht kam jener Geschmack ja trotzdem hervor... auch mitten zwischen all den anderen Geschmäckern...«

Salustiano sprach mit den Fingern auf den Lippen, wie um seine Worte zu filtern: »Es war eine heilige Küche... sie mußte die Harmonie der Elemente feiern, die durch das Opfer erreicht worden war, eine schreckliche, flammende, glühende Harmonie...«

Er verstummte plötzlich, wie im Gefühl, zu weit gegangen zu sein, und als hätte ihm der Gedanke an das Bankett seine Pflichten in Erinnerung gerufen, entschuldigte er sich nun hastig, nicht länger bei uns verweilen zu können, da er seinen Platz am Tisch wieder einnehmen müsse.

In Erwartung der Abenddämmerung setzten wir uns in eines der Cafés unter den Arkaden des *zócalo*, des quadratischen Platzes, der das Herz jeder alten Kolonialstadt ist, grün von sauber gestutzten Bäumen, die *almendros* genannt werden, aber gar nicht wie Mandelbäume aussehen. Die Papierfähnchen und Transparente, die den offiziellen Kandidaten grüßten, taten ihr Bestes, um dem *zócalo* ein festliches Gepränge zu geben. Die guten Familien von Oaxaca wandelten unter den Arkaden. Die amerikanischen Hippies warteten auf die Alte, die den *mezcal* brachte. Zerlumpte Straßenverkäufer breiteten bunte Tücher auf dem Boden aus. Von einem nahen Platz tönte das Echo der Megaphone einer spärlich besuchten

Oppositionskundgebung herüber. Dicke Frauen hockten am Boden und buken *tortillas* mit Kräutern.

Auf dem Podium in der Mitte des Platzes spielte eine Kapelle; es klang beruhigend und erinnerte mich an Abende in einem provinziellen und familiären Europa, die ich früh erlebt und vergessen hatte. Doch die Erinnerung war trügerisch wie ein Trompe-l'oeil, und bei genauerem Hinsehen gab sie mir bald ein Gefühl von multiplizierter Entfernung, in Raum wie in Zeit. Die Musikanten, schwarz gekleidet und mit Krawatten, die dunklen Indiogesichter undurchdringlich, spielten für die Touristen, die grellbunt und lässig gekleidet waren wie Gäste eines ewigen Sommers, Gruppen von Alten, die sich jung gaben in der ganzen Pracht ihrer künstlichen Gebisse, und Gruppen von Jungen, die sich gramgebeugt in Meditationen vertieften, als warteten sie, daß das Greisentum käme, um ihre blonden Bärte und dichten Haare weiß zu färben, eingehüllt in grobe Tücher und mit Beutelsäcken bepackt wie in den alten Kalendern die allegorischen Winterfiguren.

»Vielleicht sind die Zeiten ans Ende gelangt, die Sonne mag nicht mehr aufgehen, Chronos, dem es an Opfern zum Verschlingen gebricht, stirbt vor Erschöpfung, die Zeitalter und die Jahreszeiten sind durcheinandergeraten.«

»Vielleicht betrifft der Tod der Zeit nur uns«, antwortete Olivia, »uns, die wir uns zerfleischen und so tun, als ob wir es nicht wüßten, uns, die

wir so tun, als spürten wir nicht mehr die Geschmäcker...«

»Willst du damit sagen, daß die Geschmäk-
ker... daß die Leute hier stärkere Geschmäcker
brauchen, weil sie wissen... weil sie hier Fleisch
aßen, das...«

»Genauso wie wir, auch heute... Nur daß wir
es nicht mehr wissen, wir wagen nicht hinzuse-
hen, wie sie es taten... für sie gab es keine Mysti-
fikationen, der Greuel lag offen vor ihren Augen,
sie aßen, bis nur noch ein Knochen zum Abnagen
blieb, und deswegen all die Geschmäcker...«

»Um jenen *einen* Geschmack zu verdecken?«
fragte ich, in Anknüpfung an die Hypothesen
von Salustiano.

»Vielleicht konnte man nicht, vielleicht *sollte*
man ihn nicht verdecken... Sonst wäre es ja, als
würde man gar nicht essen, was man aß... Vielleicht hatten all die anderen Geschmäcker nur die
Funktion, den einen Geschmack zu steigern, ihm
einen würdigen Rahmen zu geben, ihn zu ehren...«

Bei diesen Worten kam mir erneut das Bedürfnis, ihr in die Zähne zu sehen, wie es mir schon
während der Rückfahrt im Jeep gekommen war.
Doch im selben Moment erschien zwischen ihren
Lippen die speichelglänzende Zunge, um sich sofort wieder zurückzuziehen, als wäre Olivia gerade dabei, im Geiste etwas zu kosten. Ich begriff,
daß sie bereits an das Abendessen dachte.

Es begann, jenes Abendessen – wie es uns in

einem Restaurant geboten wurde, das wir zwischen niedrigen Häusern mit gewundenen schmiedeeisernen Gittern fanden – mit einem rosafarbenen Getränk in handgeblasenen Gläsern: *sopa de camarones,* eine Krebssuppe, scharf über alle Maßen dank einer Sorte *chiles,* die wir noch nicht erprobt hatten, vielleicht die berühmten *chiles jalapeños.* Dann folgte *cabrito,* geröstetes Zicklein, bei dem jeder Bissen eine Überraschung war, denn die Zähne stießen bald auf ein knuspriges Stück und bald auf eines, das im Munde zerging.

»Ißt du nicht?« fragte Olivia, die sich ganz auf ihren Teller zu konzentrieren schien, aber dabei wie üblich sehr aufmerksam war, während ich sie versunken betrachtete. Es war das Gefühl ihrer Zähne in meinem Fleisch, das ich mir vorstellte, und ich spürte, wie ihre Zunge mich gegen die Wölbung des Gaumens hob, mich mit Speichel umgab, mich unter die Spitzen der Eckzähne drückte. Ich saß ihr gegenüber, doch gleichzeitig war mir, als wäre ein Teil von mir oder mein ganzes Ich in ihrem Munde und würde von ihr gekaut, zerrissen, Faser für Faser zerfleischt. Eine keineswegs nur ganz passive Situation, insofern ich spürte, während ich von ihr gekaut wurde, daß ich meinerseits auf sie einwirkte, ihr Sensationen vermittelte, die sich von ihren Geschmackspapillen auf ihren ganzen Körper fortpflanzten, daß ich es war, ich, der jede ihrer Vibrationen hervorrief. Es war ein wechselseitiges und komplettes Verhältnis, das uns vereinte und fortriß.

Ich faßte mich wieder; wir faßten uns. Aufmerksam kosteten wir den Salat aus zarten Blättern gekochter indianischer Feigen *(ensalada de nopalitos)*, gewürzt mit Knoblauch, Koriander, Peperoni, Öl und Essig; dann die rosig-cremige Süßspeise der *maguey* (eine Agavensorte), das Ganze begleitet von einer Karaffe *tequila con sangrita* und gefolgt von einem Kaffee mit Zimt.

Doch dieses ausschließlich durch das Essen zwischen uns hergestellte Verhältnis, das sich in keinem anderen Bild als dem einer Speise einfangen ließ, dieses Verhältnis, das ich in meinen Phantastereien den tiefsten Wünschen Olivias entsprechen ließ, war ihr in Wirklichkeit gar nicht genehm, und ihr Unwille mußte noch während des Essens zum Ausdruck kommen.

»Wie langweilig, wie monoton du bist«, begann sie zu sagen, womit sie an eine ihrer Polemiken gegen mein wenig kommunikatives Temperament anknüpfte, insbesondere gegen meine Gewohnheit, das Aufrechterhalten der Konversation ganz ihr zu überlassen, eine Polemik, die sich vor allem dann zu entzünden pflegte, wenn wir unter vier Augen an einem Restauranttisch saßen, und die sich in Anklagereden mit Vorwürfen artikulierte, deren Begründetheit ich nicht zu leugnen vermochte, aber in denen ich auch die Grundlagen unseres Zusammenhaltes als Paar erkannte – nämlich daß Olivia sehr viel mehr als ich sah und es sehr viel schneller als ich zu erfassen, zu isolieren und zu definieren verstand, weshalb mein Verhältnis zur Welt sich im wesentlichen durch sie bildete. »Immer bist du ganz in dich selbst versunken, unfähig teilzunehmen an dem, was dich umgibt, dich dem Nächsten zu öffnen, ohne einen Funken von eigenem Enthusiasmus und immer bereit, den der anderen zu dämpfen, deprimierend bist du, indifferent« – und dem Inventar meiner Mängel fügte sie diesmal ein neues Adjektiv hinzu, oder eines, das in meinen Ohren eine neue Bedeutung annahm: »fade!«

Ja, das war's, ich war fade, dachte ich, und die mexikanische Küche mit all ihrer Kühnheit und Phantasie war notwendig, damit Olivia sich mit Befriedigung von mir nähren konnte; die schärfsten Gewürze waren das nötige Komplement, ja das unverzichtbare Kommunikationsmittel, wie ein Lautsprecher, der die Töne verstärkt, damit Olivia von meiner Substanz zehren konnte.

»Mag sein, daß ich dir fade vorkomme«, protestierte ich, »aber es gibt diskretere und zurückhaltendere Geschmacksskalen als die der Peperoni, es gibt zarte Aromen, die man zu erspüren verstehen muß!«

»Die Küche ist die Kunst, einem Geschmack mit anderen Geschmäckern Profil zu geben«, erwiderte Olivia, »aber wenn der Grundstoff schal ist, kann kein Gewürz einen Geschmack verbessern, der nicht vorhanden ist!«

Am nächsten Morgen wollte uns Salustiano Velazco zu einigen Ausgrabungsstätten begleiten, die noch nicht vom Tourismus überrollt waren.

Eine steinerne Statuette erhob sich knapp über den Boden, sie hatte die charakteristische Form, die wir schon zu Beginn unserer Reise durch die archäologischen Stätten Mexicos zu erkennen gelernt hatten: die des *chac-mool*, einer menschlichen Figur, halb liegend in fast etruskischer Pose, die eine Schale auf dem Bauch hält; man könnte meinen, es sei ein gutmütiger, komisch-grotesker Gnom, aber auf jener Schale wurden dem Gott die Herzen der Opfer dargebracht.

»Bote der Götter: Was soll das heißen?« fragte ich, weil ich diese Definition in einem Führer gelesen hatte. »Ist es ein Geist, der von den Göttern auf die Erde geschickt worden ist, um die Opferspeise zu holen? Oder ein Emissär der Menschen, der den Göttern entgegengehen und ihnen die Speise bringen soll?«

»Wer weiß...«, antwortete Salustiano in jenem vagen Ton, den er angesichts unlösbarer Fragen annahm, als horchte er auf die inneren Stimmen, die ihm gleichsam als Manuale seiner Wissenschaft zur Verfügung standen. »Es könnte auch der Geopferte selbst sein, der rücklings auf dem Altar liegt und seine Eingeweide in der Schale darbietet... Oder der Opferer, der die Pose des Opfers einnimmt, da er weiß, daß es morgen ihn treffen kann... Ohne diese Reversibilität wäre das Menschenopfer undenkbar... Alle waren potentiell Opferer und Geopferte... Der zu Opfernde akzeptierte, geopfert zu werden, denn er hatte gekämpft, um andere als Opfer zu fangen...«

»Vielleicht konnten sie nur verspeist werden, weil sie selber Menschen verspeist hatten«, fügte ich fragend hinzu, aber Salustiano sprach jetzt von der Schlange als Symbol der Kontinuität des Lebens und des Kosmos.

Doch nun hatte ich begriffen. Mein Fehler mit Olivia war, mich als von ihr verspeist betrachtet zu haben, während in Wahrheit ich derjenige sein mußte, ja derjenige war (ich war es immer gewesen), der sie verspeiste. Das Menschenfleisch mit dem attraktivsten Geschmack ist das Fleisch von Menschen, die selber Menschenfleisch essen. Nur wenn ich mich gierig an Olivia nährte, würde ich ihrem Gaumen nicht länger mehr fade vorkommen.

Mit diesem Vorhaben setzte ich mich an jenem Abend mit ihr zu Tisch. »Was hast du denn bloß? Du bist so sonderbar heute abend«, sagte Olivia, der nie etwas entging. Das Gericht, das uns serviert worden war, hieß *gorditas pellizcadas con manteca*, wörtlich »gezwickte Dickerchen mit Butter« (wobei die »Dickerchen« köstlich gewürzte Fleischbällchen in einer Teighülle waren). Ich stellte mir vor, in jedem dieser Fleischbällchen die ganze Würze Olivias zu verschlingen, sie mir einzuverleiben durch ein wollüstiges Kauen, ein vampirisches Aussaugen ihrer Lebenssäfte, doch ich bemerkte, daß sich in das, was ein Verhältnis zwischen drei Größen sein sollte, ich-Fleischbällchen-Olivia, eine vierte Größe einschob, die eine beherrschende Rolle gewann: der Name der Fleischbällchen. Es war vor allem der Name *gorditas pellizcadas con manteca*, den ich genoß und mir einverleibte und in Besitz nahm. So sehr, daß die Magie des Namens auch nach dem Essen in mir zu wirken fortfuhr, als wir uns schließlich in unser Hotelzimmer zurückzogen. Und zum ersten Male während unserer Mexico-Reise brach der Zauber, dem wir zum Opfer gefallen waren, und die Inspiration, die uns in den besten Momenten unseres Zusammenlebens beflügelt hatte, kam wieder über uns.

Am Morgen fanden wir uns auf dem Bett sitzend in *chac-mool*-Pose, im Gesicht den atonischen Ausdruck von Steinfiguren und auf den Knien die Schale mit dem anonymen Hotelfrühstück, das wir durch lokale Aromen zu bereichern suchten, indem wir uns *mangos, papayas, chirimoyas, guayabas* dazubestellten, Früchte, die in der Süße ihres Fleisches zarte Botschaften von Herbheit und Säuernis bergen.

Unsere Reise führte uns in die Gebiete der Maya. Die Tempel von Palenque erheben sich mitten im tropischen Urwald, überragt von dichten Vegetationsgebirgen: riesigen Feigenbäumen mit vielfachen Stämmen, die wie Wurzeln aussehen – *maculís* mit lilafarbenen Blättern und *aguacates*, jeder Baum eingehüllt in einen Mantel aus Lianen, Schlinggewächsen und hängenden Pflanzen. Es war beim Abstieg über die steile Treppe des Tempels der Inschriften, als mich ein Schwindel erfaßte. Olivia, die das Treppensteigen nicht mochte, hatte mir nicht folgen wollen und war unten geblieben, verloren in der Menge der lärmenden grellbunten Reisegruppen, die unentwegt von den Bussen auf der Lichtung zwischen den Tempeln ausgespien und einverleibt wurden. Ich war allein auf den Tempel der Sonne gestiegen, hinauf bis zu den Reliefs der Jaguar-Sonne, zum Tempel des Belaubten Kreuzes, zum Relief des *quetzál* (Kolibri) im Profil, dann zum Tempel der Inschriften, was nicht nur einen Aufstieg (mit entsprechendem Abstieg) über die monumentale Treppe impliziert, sondern auch den Abstieg ins Dunkel (mit entsprechendem Aufstieg) über die schmale Treppe zur unterirdischen Krypta. In der Krypta befindet sich das Grab des Priesterkönigs (das ich schon einige Tage zuvor sehr viel bequemer in einer perfekten Nachbildung im Anthropologischen Museum von Mexico-Stadt hatte besichtigen können) mit jener höchst kompliziert behauenen Steinplatte, auf der man den König eine science-fiction-hafte Maschinerie bedienen sieht, die in unseren Augen dem Typus jener gleicht, mit denen man Weltraumraketen ins All schießt, die aber den Abstieg des Leibes zu den unterirdischen Göttern und die Wiedergeburt der Vegetation darstellt.

Ich stieg hinab, stieg wieder hinauf ans Licht der Jaguar-Sonne, ins Meer der grünen Lymphe des Laubes. Die Welt taumelte, ich stürzte, niedergemetzelt vom Messer des Priester-Königs, stürzte die hohen Stufen hinunter in den Dschungel der Touristen mit den Filmkameras und den usurpierten breitkrempigen Sombreros, die Solarenergie glitt nieder durch dichteste Netze von Blut und Chlorophyll, ich lebte und starb in allen Fasern dessen, was gekaut und verschlungen wurde, in allen Fasern, die sich kauend und schlingend der Sonne bemächtigen.

Unter der Stroh-Pergola eines Restaurants am Ufer eines Flusses, wo mich Olivia erwartet hatte, begannen unsere Zähne langsam im gleichen Rhythmus zu mahlen, und unsere Blicke hefteten sich aufeinander mit der Intensität von Schlangen. Schlangen, als die wir einander im Zucken des gegenseitigen Uns-Verschlingens erkannten, wohl wissend, daß wir unsererseits verschlungen wurden von jener Schlange, die unaufhörlich uns alle verschlingt und assimiliert in jenem Einverleibungs- und Verdauungsprozeß des universalen Kannibalismus, der jede Liebesbeziehung prägt und alle Grenzen auslöscht zwischen unseren Körpern und der *sopa de frijoles,* dem *huacinango a la veracruzana,* den *enchiladas...*

Ein König horcht

Das Szepter wird in der Rechten gehalten, gerade, wehe, wenn du es niederlegst, im übrigen hättest du gar nichts, wo du es drauflegen könntest, neben dem Thron gibt es keine Tischchen oder Konsolen oder Ständer, auf denen man etwas abstellen könnte, ein Glas, einen Aschenbecher oder, was weiß ich, ein Telephon. Der Thron steht isoliert, hoch auf einem Sockel mit schmalen und steilen Stufen, alles, was du fallen läßt, rollt davon und ist nicht mehr zu finden. Wehe, wenn dir das Szepter aus der Hand rutscht, du müßtest aufstehen und hinuntersteigen vom Thron, um es wiederzuholen, niemand außer dem König darf es berühren, und es ist nicht schön, wenn ein König am Boden herumkriecht, um das Szepter unter einem Möbel hervorzuholen, oder die Krone, die dir leicht vom Kopf fallen kann, wenn du dich bückst.

Den Unterarm kannst du auf die Lehne stützen, so wird er nicht müde; ich spreche immer noch von der Rechten, die das Szepter hält. Was die Linke angeht, so bleibt sie frei: Du kannst dich kratzen, wenn du willst; manchmal verursacht der Hermelinmantel dir ein Jucken am Hals, das sich über den Rücken fortsetzt, über den ganzen Körper. Auch der Samt des Polsters ruft, wenn er warm wird, ein unangenehmes Gefühl an den Hinterbacken hervor, an den Schenkeln. Scheu dich nicht, mit den Fingern dorthin zu fahren, wo es dich juckt, den Gürtel mit der vergoldeten Spange zu lösen, die Halskette zu verschieben, die Orden, die Epauletten mit den Fransen. Du bist König, niemand kann etwas an dir auszusetzen finden, das wäre ja noch schöner!

Den Kopf mußt du stillhalten, vergiß nicht, daß du die Krone auf der Scheitelhöhe balancierst, du kannst sie nicht über die Ohren ziehen wie eine Mütze an einem windigen Tag. Die Krone kulminiert in einer ausladenden Kuppel, ist also oben breiter als unten und hat daher ein labiles Gleichgewicht: Wenn es dir passiert, daß du einnickst und das Kinn auf die Brust senkst, kippt sie nach vorn, kullert die Stufen hinunter und bricht in Stücke; denn sie ist zerbrechlich, besonders an den Teilen aus Goldfiligran mit Brillantenbesatz. Wenn du fühlst, daß sie zu kippen beginnt, mußt du den Mut haben, sie mit kleinen Ruckern des Kopfes wieder geradezurücken, aber du mußt aufpassen, daß du nicht zu heftig hochfährst, damit sie nicht gegen den Baldachin stößt, der sie mit seinen Fransen streift. Kurzum, du mußt jene königliche Gemessenheit wahren, von der man annimmt, sie sei deiner Person angeboren.

Im übrigen, welches Bedürfnis sollte dir schon zu schaffen machen? Du bist König, alles, was du begehrst, ist dein. Du brauchst nur einen Finger zu heben, und schon bringt man dir zu essen, zu trinken, Kaugummi, Zahnstocher, Zigaretten jedweder Marke, alles auf einem Silbertablett. Wenn dich der Schlaf überkommt – bitte sehr, der Thron ist bequem, gepolstert, du brauchst nur die Augen zu schließen und dich zurückzulehnen, scheinbar in deiner gewöhnlichen Haltung; ob du wach bist oder schläfst, ist egal, niemand merkt es. Was deine körperlichen Bedürfnisse angeht, so ist es für niemanden ein Geheimnis, daß der Thron ein Loch hat, wie jeder anständige Thron; zweimal am Tag wird der Topf gewechselt; wenn's stinkt, auch öfter.

Kurzum, alles ist wohlgerichtet, um dir jede Ortsveränderung zu ersparen. Du hättest nichts zu gewinnen, wenn du dich von der Stelle rührtest, aber alles zu verlieren. Wenn du aufstehst und dich auch nur wenige Schritte entfernst, den Thron auch nur für einen Moment aus den Augen läßt, wer garantiert dir dann, daß du bei der Rückkehr nicht einen anderen darauf sitzen findest? Womöglich einen, der dir ähnelt, dir haargenau gleicht. Dann beweise mal, daß du der König bist und nicht er! Einen König erkennt man daran, daß er auf dem Thron sitzt und die Krone trägt und das Szepter. Jetzt, wo diese Attribute die deinen sind, trennst du dich besser keinen Moment von ihnen.

Das Problem ist, wie du dir die Beine vertreten sollst, wie du vermeiden kannst, daß es dich kribbelt, daß dir die Gelenke steif werden. Sicher, das ist eine arge Inkonvenienz. Aber du kannst immerhin mit den Füßen aufstampfen, kannst die Knie anheben, dich in den Thron hineinkauern,

dich im Schneidersitz draufhocken – natürlich
nur kurzfristig, wenn es die Staatsgeschäfte erlau-
ben. Jeden Abend kommen die Beauftragten für
die Fußwaschung und befreien dich für ein Vier-
telstündchen aus deinen Stiefeln; morgens reiben
dich die Beamten vom Desodorierungsdienst mit
parfümierten Baumwolltüchern unter den Ach-
seln trocken.

Es ist auch vorgesorgt für den Fall, daß dich
fleischliche Gelüste überkommen. Hofdamen,
zweckdienlich ausgewählt und unterwiesen, von
den kräftigsten bis zu den zartesten, stehen dir
zur Verfügung, um im Turnus zu dir hinaufzu-
steigen und deinen bebenden Knien ihre duftig-
luftigen Röcke zu nähern. Die Dinge, die man
machen kann, du weiterhin auf dem Thron sitzend und sie sich dir frontal oder rückwärtig oder
schräg seitlich darbietend, sind schon einige, und
du kannst sie rasch erledigen oder, wenn die An-
forderungen des Reiches dir genug Zeit lassen,
dabei auch länger verweilen, sagen wir, bis zu
drei Viertelstunden; in diesem Fall ist es guter
Brauch, den Baldachinvorhang zu schließen, um
die Intimität des Königs den Blicken Außenste-
hender zu entziehen, während die Musiker süße
Melodien anstimmen.

Kurzum, den Thron hältst du, bist du einmal
gekrönt, besser ständig besetzt, Tag und Nacht,
ohne dich von der Stelle zu rühren. Dein ganzes
vorheriges Leben war nichts als ein Warten, daß
du König wirst. Jetzt bist du es, jetzt bleibt dir

nur noch zu regieren. Und was ist regieren, wenn nicht dieses andere lange Warten? Das Warten auf den Moment deiner Absetzung, wenn du den Thron drangeben mußt, das Szepter, die Krone, den Kopf.

Die Stunden vergehen langsam, das Licht der Lüster im Thronsaal ist immer gleich. Du hörst die Zeit verstreichen: ein Rauschen wie vom Wind. Der Wind bläst durch die Flure des Palastes, oder im Innern deines Ohrs. Könige tragen keine Uhren: Man geht davon aus, daß sie es sind, die das Fließen der Zeit regieren, Unterwerfung unter die Regeln eines mechanischen Apparats wäre unvereinbar mit der königlichen Majestät. Die monotone Abfolge der Minuten droht dich zu begraben wie eine langsame Sanddüne. Aber du weißt, wie du ihr entgehst: Du brauchst nur die Ohren zu spitzen und die Geräusche des Palastes unterscheiden zu lernen. Sie ändern sich von Stunde zu Stunde: Morgens bläst der Trompeter auf dem Turm die Fanfare zum Fahnenhissen, die Lastwagen der königlichen Intendantur entladen Körbe und Fässer im Wirtschaftshof, die Hausmädchen klopfen die Teppiche auf dem Geländer der Loggia. Abends kreischen die Gittertore beim Schließen, aus den Küchen dringt Tellergeklapper, aus den Ställen verkündet ein Wiehern, daß die Stunde des Striegelns gekommen ist.

Der Palast ist eine Uhr: Ihre tönenden Ziffern folgen dem Lauf der Sonne, unsichtbare Zeiger bezeugen den Wachwechsel vor dem Tor mit einem Getrappel von genagelten Sohlen, einem Krachen von aufgestoßenen Gewehrkolben, gefolgt vom Knirschen des Kieses unter den Ketten der Panzer, die über den Platz patrouillieren. Wenn die Geräusche sich in der gewohnten Ordnung und Abfolge wiederholen, mit den entsprechenden Pausen dazwischen, kannst du beruhigt sein: Dein Reich ist nicht in Gefahr – jedenfalls nicht für den Augenblick, nicht für diese Stunde, diesen Tag noch.

Versunken in deinem Thron führst du die Hand ans Ohr, schiebst die Rüschen des Baldachinvorhangs beiseite, damit sie kein Wispern, kein Echo dämpfen. Die Tage sind für dich eine Aneinanderreihung von Lauten, bald deutlichen, bald kaum wahrnehmbaren; du hast gelernt, sie zu unterscheiden, ihre Herkunft und ihre Entfernung einzuschätzen, du kennst ihre Abfolge, weißt, wie lange die Pausen dauern, jedes Dröhnen oder Knarren oder Klirren, das an dein Trommelfell dringt, hast du schon erwartet, in deiner Phantasie schon vorweggenommen. Wenn es sich verzögert, wirst du ungeduldig. Deine Unruhe legt sich erst, wenn der Faden des Gehörten sich wieder verknüpft, wenn das Gewebe der wohlbekannten Geräusche sich an der Stelle, wo ein Loch zu klaffen schien, wieder schließt.

Vorhallen, Treppen, Loggien und Flure des Palastes haben hohe gewölbte Decken: Jeder Schritt, jedes Schnappen eines Türschlosses, jedes

Niesen hallt wider, dröhnt, verbreitet sich horizontal durch Saalfluchten, Vestibüle, Kolonnaden, Wirtschaftstrakte, und vertikal durch Treppenhäuser, Zwischenstöcke, Lichtschächte, Leitungsrohre, Kamine, Lastenaufzüge, und all diese akustischen Wege laufen im Thronsaal zusammen. In den großen See aus Stille, in dem du schwimmst, münden Luftströme, deren Quellen intermittierende Schwingungen sind. Du fängst sie ab und entzifferst sie, aufmerksam, versunken. Der Palast ist ganz Ohrmuschel, ganz Membrane, er ist ein großes Ohr, in dem Anatomie und Architektur miteinander Namen und Funktionen tauschen: Gänge, Schnecken, Trompeten, Tympana, Labyrinthe. Du hockst zusammengekauert am tiefsten Grund, im Innersten des Palastes-als-Ohr, deines Ohrs. Der Palast ist das Ohr des Königs.

Hier haben die Mauern Ohren. Die Spione lauschen hinter den Vorhängen, den Portieren, den Gobelins. Deine Spione, die Agenten deines Geheimdienstes, die den Auftrag haben, minutiöse Berichte über die Palastverschwörungen zu erstellen. Am Hof wimmelt es von Feinden, und zwar in solchem Maße, daß es immer schwieriger wird, sie von den Freunden zu unterscheiden. Sicher ist, daß die Verschwörung, die dich entthronen wird, aus Ministern und Würdenträgern deines Reiches bestehen wird. Und du weißt, daß es keinen Geheimdienst gibt, der nicht von gegnerischen Geheimagenten durchsetzt wäre. Vielleicht sind alle Agenten, die du bezahlst, auch für die Verschwörer tätig oder gar selber Verschwörer – weshalb du sie weiter bezahlen mußt, um sie so lange wie möglich bei der Stange zu halten.

Umfangreiche Geheimberichte werden täglich von den EDV-Anlagen geliefert und dir zu Füßen auf die Stufen des Thrones gelegt. Du brauchst sie nicht zu lesen: Die Spione können nicht umhin zu bestätigen, daß Verschwörer am Werk sind, was die Notwendigkeit ihrer Spionage beweist; zugleich müssen sie jede unmittelbare Gefahr bestreiten, was die Wirksamkeit ihrer Spionage bezeugt. Niemand denkt übrigens, daß du die Berichte lesen müßtest, die dir vorgelegt werden: Im Thronsaal ist nicht genügend Licht, um zu lesen, denn man geht davon aus, daß ein König nichts zu lesen braucht, da er ohnehin schon alles weiß, was er wissen muß. Zu deiner Beruhigung genügt das Ticken der EDV-Anlagen, das du aus den Büros der Geheimdienste kommen hörst, während der acht regulären Dienststunden. Eine Schar von Operateuren füttert die Anlagen ständig mit neuen Daten, überwacht komplizierte Tabellen auf den Monitoren und entnimmt den Druckern neue Berichte, die vielleicht immer derselbe Bericht sind, der jeden Tag wiederholt wird, mit winzigen Varianten betreffend den Regen oder den Sonnenschein. Mit winzigen Varianten liefern dieselben Drucker die geheimen Rundbriefe der Verschwörer, die Anweisungen zur

Meuterei, die detaillierten Pläne deiner Absetzung und Hinrichtung.

Du kannst sie lesen, wenn du willst. Oder so tun, als hättest du sie gelesen. Was das Ohr der Spione registriert, sei es nach deinen Anordnungen oder nach denen deiner Feinde, ist immer nur das, was sich in die Formeln der Codes übersetzen läßt, was sich einfüttern läßt in die Programme, die eigens dazu erdacht worden sind, Geheimberichte gemäß den amtlichen Vorschriften zu produzieren. Ob bedrohlich oder beruhigend, die Zukunft, die jene Bögen entrollen, gehört nicht mehr dir, sie kann dich nicht von deiner Ungewißheit befreien. Anderes ist es, was du wünschtest, daß man es dir enthüllte, die Angst und die Hoffnung, die dir den Schlaf rauben, dich die Nächte durchwachen lassen mit angehaltenem Atem – das, was deine Ohren zu erfahren suchen, über dich, über dein Schicksal.

Dieser Palast ist dir, als du den Thron bestiegen hast – im selben Moment, als er dein Palast geworden war –, fremd geworden. An der Spitze des Krönungszuges hattest du ihn das letzte Mal durchschritten, zwischen den Fackeln und Palmwedeln, ehe du dich in diesen Saal zurückzogst, den zu verlassen weder klug von dir wäre noch den Regeln der königlichen Etikette entspräche. Was täte ein König, der durch die Flure liefe, durch die Büros, die Küchen? Es gibt für dich keinen Platz mehr in diesem Palast, ausgenommen den Thronsaal.

Die Erinnerung an die anderen Säle, wie du sie das letzte Mal sahst, ist rasch in deinem Gedächtnis verblaßt; im übrigen wären sie, festlich geschmückt wie sie damals waren, heute nicht wiederzuerkennen, du würdest dich in ihnen verlaufen.

Deutlicher sind dir gewisse Bilder der Kampftage im Gedächtnis geblieben, als du heranrücktest, um den Palast zu erstürmen an der Spitze deiner Getreuen von damals (die jetzt sicher deinen Sturz vorbereiten): von Mörsergranaten zerschossene Balustraden, Breschen in den brandgeschwärzten, mit Einschußlöchern übersäten Mauern. Zu denken, daß es derselbe Palast war, in dem du jetzt auf dem Thron sitzt, will dir nicht mehr gelingen; würdest du dich in ihm wiederfinden, wäre es das Zeichen, daß sich der Kreis geschlossen hat und der Ruin diesmal dich hinwegfegt.

Vor jenen Tagen, in den Jahren, die du ränkeschmiedend am Hof deines Vorgängers verbrachtest, hattest du noch einen anderen Palast gesehen, denn die dem Personal deines Ranges zugewiesenen Räume waren nur einige und nicht alle, und du warfst deinen Ehrgeiz in die Veränderungen, die du den Räumen angedeihen lassen würdest, sobald du erst König geworden wärest. Der erste Befehl, den jeder neue König erteilt, kaum daß er den Thron bestiegen hat, gilt der Umgestaltung und Neuordnung aller Räume, des Mobiliars, der Tapisserien und Stuckverkleidungen. Auch du hast erst einmal alles verändert, im Glauben, dadurch deine wahre Besitzergreifung zu markieren. In Wirklichkeit hast du nichts anderes getan, als andere Erinnerungen in den Reißwolf des Vergessens zu werfen, aus dem nichts wieder hervorkommt.

Sicher, es gibt im Palast die sogenannten historischen Säle, die du gern einmal wiedersehen würdest, auch wenn sie von oben bis unten restauriert worden sind, um ihnen die Aura des Antiken wiederzugeben, die sich mit den Jahren verliert. Aber es sind die Säle, die kürzlich zur Besichtigung für die Touristen geöffnet wurden, du mußt ihnen fernbleiben. Zusammengekauert in deinem Thron erkennst du in deinem Kalender aus Lauten die Besuchstage am Gebrumm der Reisebusse, die auf dem Vorplatz halten, am Geplapper der Führer, an den Chören bewundernder Ausrufe in verschiedenen Sprachen. Auch für die Tage, an denen jene Räume geschlossen bleiben, wird dir förmlich abgeraten, dich dort hineinzuwagen: Du würdest dich zwischen den Besen und Eimern und Putzmittelfässern der Reinigungstruppe verfangen. Und nachts würdest du dich verlaufen, festgenagelt von den rotglimmenden Augen der Alarmanlagen, die dir den Weg verstellten, bis du dich am Morgen umlagert sähest von Reisegruppen mit Filmkameras, Regimentern alter Damen mit Gebiß und hellblauem

Schleier über der Dauerwelle, Bataillonen beleibter Herren mit breitkrempigen Strohhüten und geblümten Hemden über der Hose.

Wenn dein Palast dir unbekannt und unerkennbar bleibt, so kannst du doch versuchen, ihn horchend Stück für Stück zu rekonstruieren, indem du jedes Geräusch von Schritten, jedes Husten an einen Punkt im Raum situierst, dir um jedes lautliche Zeichen Wände, Decken, Einrichtungen vorstellst; indem du der Leere, in der die Geräusche sich ausbreiten, eine Form gibst, ebenso wie den Hindernissen, an die sie stoßen, einfach indem du zuläßt, daß die Töne selbst dir die Bilder eingeben. Ein silbriges Klirren ist nicht nur ein Teelöffel, der von der Untertasse gefallen ist, auf welcher er in der Kippe lag, sondern auch eine Ecke mit einem Tisch und einer Spitzendecke darauf, erhellt vom Licht eines hohen Fensters, vor dem Glyzinienzweige hängen; ein weiches Plumpsen ist nicht nur eine Katze, die sich auf eine Maus gestürzt hat, sondern auch eine schimmelfeuchte Kellertreppe, verschlossen mit nägelstarrenden Brettern.

Der Palast ist ein tönender Bau, der sich bald ausdehnt, bald zusammenzieht, bald verknäuelt wie ein Kettengewirr. Du kannst ihn durchwandern, geführt von den Echos, indem du jedes Knarren, Knistern und Seufzen lokalisierst, jedes Atmen, Rascheln, Murmeln und Grummeln verfolgst.

Der Palast ist der Leib des Königs, sein Körper. Dein Körper sendet dir mysteriöse Botschaften, die du voller Besorgnis empfängst, voller Angst. In einem unbekannten Teil dieses Körpers nistet sich eine Drohung ein, dein Tod sitzt dort schon auf der Lauer, die Signale, die du empfängst, warnen dich vielleicht vor einer Gefahr, die dir aus deinem eigenen Innern droht. Was da zusammengekrümmt auf dem Thron hockt, ist nicht mehr dein Körper, du bist seines Gebrauches entledigt worden, seit du die Krone auf dem Kopf trägst, jetzt erstreckt sich deine Person in diesen dunklen und fremden Bau, der in Rätseln zu dir spricht. Aber hat sich wirklich etwas geändert? Auch vorher wußtest du wenig oder nichts von dem, was du warst. Und hattest Angst davor, wie jetzt.

Der Palast ist ein Gewebe aus regelmäßigen Lauten, gleichbleibend wie das Schlagen des Herzens, aus dem sich jedoch unversehens andere Laute abheben, dissonante, überraschende. Eine Tür schlägt: Wo? Jemand läuft durch die Säle, man hört einen erstickten Schrei. Dann vergehen lange Minuten des Wartens. Ein scharfer langgezogener Pfiff ertönt, vielleicht aus einem Turmfenster. Ein anderer Pfiff antwortet, diesmal von unten. Dann Stille.

Gibt es eine Geschichte, die ein Geräusch mit dem andern verbindet? Du kannst nicht umhin, nach einem Sinn zu suchen, der sich womöglich nicht in den isolierten Einzelgeräuschen verbirgt, sondern in den Pausen dazwischen. Und wenn es da eine Geschichte gibt, ist es eine, die dich betrifft? Eine Abfolge von Konsequenzen, die am Ende auch dich involviert? Oder handelt es sich bloß um einen der vielen unbedeutenden Vorfälle, die zusammengenommen das Alltagsleben des Palastes ausmachen? Jede Geschichte, die du zu erraten meinst, verweist auf deine Person, nichts geschieht im Palast, ohne daß der König darin eine Rolle spielt, eine aktive oder passive. Noch aus dem unscheinbarsten Indiz kannst du eine Aussage über dein Schicksal entnehmen.

Wer in Angst lebt, dem erscheint jedes Zeichen, das die Normalität durchbricht, als eine Bedrohung. Jedes kleinste Schallereignis scheint dir das Wahrwerden deiner Befürchtungen anzukündigen. Aber könnte nicht auch das Gegenteil wahr sein? Als Gefangener in einem Käfig aus zyklischen Wiederholungen spitzt du das Ohr und horchst voller Hoffnung auf jeden Ton, der den erstickenden Rhythmus durchbricht, auf jedes Anzeichen einer nahenden Überraschung, einer Öffnung des Gitters, eines Zerbrechens der Kette.

Vielleicht kommt die Drohung mehr aus der Stille als aus den Geräuschen. Seit wie vielen Stunden hörst du nicht mehr den Wachwechsel vor dem Palast? Was, wenn die königstreue Wache von den Verschwörern übermannt worden wäre? Warum hört man aus der Küche nicht mehr das übliche Klappern der Töpfe und Pfannen? Vielleicht sind die zuverlässigen Köche durch eine Bande von Meuchelmördern ersetzt worden, die gewohnt sind, ihre Taten lautlos zu vollbringen, Giftmischer, die gerade dabei sind, die Speisen in aller Stille mit Zyanid zu durchtränken...

Vielleicht ist es aber auch gerade das Reguläre, worin die Gefahr sich einnistet. Der Trompeter bläst die gewohnte Fanfare pünktlich wie jeden Tag; aber kommt es dir nicht so vor, daß er seine Pünktlichkeit eine Spur übertreibt? Bemerkst du nicht eine seltsame Obstination im Wirbeln der Trommeln, einen Anflug von Übereifer? Der Marschtritt des Wachtrupps bei seiner üblichen Runde durch den Palast scheint heute einen dräuenden Klang zu haben, fast wie von einem Exekutionskommando... Die Panzerketten gleiten fast lautlos über den Kies, als hätte man die Gelenke besser als sonst geschmiert – womöglich im Hinblick auf eine Schlacht?

Vielleicht ist die Wache gar nicht mehr die der Königstreuen... Oder sie ist, ohne ersetzt zu werden, zu den Verschwörern übergelaufen... Vielleicht geht alles weiter wie vorher, doch der Palast ist schon in den Händen der Usurpatoren. Sie haben dich nur noch nicht verhaftet, weil du sowieso nicht mehr zählst; sie haben dich einfach vergessen auf deinem Thron, der kein Thron mehr ist. Der reguläre Ablauf des Palastlebens ist das Zeichen, daß der Staatsstreich erfolgt ist, ein neuer König sitzt auf einem neuen Thron, dein Urteil ist verkündet worden, und es ist derart unwiderruflich, daß man sich nicht zu beeilen braucht, es zu vollstrecken...

Du phantasierst. Alles, was man im Palast sich bewegen hört, entspricht genau den Regeln, die du aufgestellt hast: Die Armee gehorcht deinen Befehlen wie eine gut geölte Maschine, das Zeremoniell des Palastes erlaubt sich nicht die geringste Abweichung beim Servieren und Abräumen der Mahlzeiten, beim Auf- und Zuziehen der Vorhänge, beim Entrollen der Ehrenteppiche nach den von dir erhaltenen Weisungen; die Radioprogramme sind diejenigen, die du ein für allemal festgelegt hast. Du hast die Situation voll im Griff, nichts entzieht sich deinem Willen und deiner Kontrolle. Selbst der Frosch, der im Becken quakt, selbst das Geplärre der Kinder, die Blindekuh spielen, selbst noch der Sturz des alten Kämmerers auf der Treppe, alles entspricht deinem Plan, alles ist von dir vorbedacht, entschieden, beschlossen worden, ehe es hörbar wurde für deine Ohren. Nicht mal eine Fliege fliegt hier, wenn du es nicht willst.

Doch vielleicht bist du niemals so nahe daran gewesen, alles zu verlieren, wie gerade jetzt, wo du glaubst, alles im Griff zu haben. Die Verantwortung, den Palast in allen Details vorauszudenken, ihn ganz im Kopf zu haben, zwingt dich zu einer enervierenden Anstrengung. Die Hartnäkkigkeit, auf die sich die Macht gründet, ist niemals so fragil wie im Augenblick ihres Triumphes.

Nahe beim Thron ist ein Mauervorsprung, aus dem du hin und wieder eine Art Dröhnen hörst: ferne Klopftöne wie das Pochen an eine Tür. Ist da jemand auf der anderen Seite der Mauer, der gegen sie klopft? Doch vielleicht handelt es sich nicht so sehr um eine Mauer, sondern eher um einen Pfeiler oder eine vorspringende Stütze, womöglich eine Säule, die innen hohl ist, vielleicht eine Rohrleitung, die senkrecht durch alle Stockwerke führt, vom Keller bis zum Dach, beispielsweise ein Rauchabzug aus der Heizung. Auf diesem Wege pflanzen sich die Geräusche über die ganze Höhe des Baues fort. An einer Stelle des Palastes, man weiß nicht, auf welcher Etage, sicher über oder unter dem Thronsaal, klopft etwas an den Pfeiler. Etwas oder jemand. Jemand, der rhythmisch mit der Faust dagegen schlägt. Nach dem gedämpften Klang zu urteilen, kommen die Schläge von weit her. Dumpfe Schläge aus einer dunklen Tiefe. Ja, von unten, Schläge von unter der Erde. Sind es Signale?

Wenn du den Arm ausstreckst, kannst du mit der Faust an den Vorsprung schlagen. Du wiederholst die Schläge so, wie du sie eben gehört hast. Stille. Da sind sie wieder. Ihre Abfolge in den Pausen und in der Frequenz hat sich ein bißchen geändert. Du wiederholst sie auch diesmal. Du wartest. Da, wieder kommt eine Antwort. Hast du einen Dialog eröffnet?

Um einen Dialog zu führen, müßtest du die Sprache kennen. Eine rasche Folge von Schlägen, Pause, dann weitere einzelne Schläge – sind das Signale, übersetzbar in einen Code? Formt da jemand Buchstaben, Wörter? Will jemand mit dir kommunizieren, vielleicht dringend dir etwas sagen? Probier's mal mit dem einfachsten Code – ein Schlag: A, zwei Schläge: B ... Oder mit dem Morsealphabet, versuch mal, lange und kurze Schläge zu unterscheiden ... Manchmal scheint dir, die gesendete Botschaft liege in einem Rhythmus wie in einer musikalischen Sequenz. Auch das wäre ein Beweis für die Absicht, deine Aufmerksamkeit zu erregen, dir etwas mitzuteilen, mit dir zu sprechen ... Aber das genügt dir nicht: Wenn diese rhythmischen Schläge einer Regel gehorchen, müssen sie ein Wort bilden, einen Satz ... Da, schon würdest du gern in das bloße Tröpfeln von Lauten deinen Wunsch nach beruhigenden Worten projizieren: »Majestät ... Wir Getreuen wachen ... Wir werden alle Anschläge vereiteln ... Langes Leben!« – Ist es das, was man dir sagen will? Ist es das, was dir herauszulesen gelingt, wenn du alle denkbaren Codes durchprobierst? Nein, nichts dieser Art kommt heraus. Eher schon eine Botschaft ganz anderer Art, etwas wie: »Kanaille, Bastard, Usurpator ... Rache ... Du wirst fallen ...«

Beruhige dich. Vielleicht ist das Ganze nur Ein-

bildung, Autosuggestion. Nur durch Zufall er-
gibt sich diese Kombination von Buchstaben und
Wörtern. Vielleicht handelt es sich überhaupt gar
nicht um Signale, vielleicht ist es nur das Schlagen
einer Tür im Wind, oder ein ballspielendes Kind,
oder jemand, der irgendwo Nägel einschlägt. Nägel... »Der Sarg... dein Sarg...« Die Schläge
formen jetzt diese Worte: »Ich werde heraus-
kommen aus diesem Sarg... du wirst hineinkom-
men... lebend begraben...« Sinnlose Worte mit-
hin. Nur deine Einbildung liest solch irres Gefa-
sel aus diesem formlosen Dröhnen.

Genausogut könntest du dir auch einbilden,
daß, wenn du aufs Geratewohl mit den Knöcheln
an die Wand trommelst, ein anderer Horchender
irgendwo im Palast darin Worte und Sätze zu
erkennen meint. Probier's doch mal. Einfach so,
ohne dir etwas dabei zu denken. He, was tust du
denn da? Warum konzentrierst du dich so, als
wolltest du Buchstaben, Silben formen? Welche
Botschaft glaubst du damit hinunterzuschicken
durch diese Mauer? »Auch du Usurpator... vor
mir... Ich habe dich besiegt... Ich hätte dich
töten können...« Was soll das? Versuchst du
dich vor einem unsichtbaren Geräusch zu recht-
fertigen? Zu wem sprichst du, wen flehst du da
an? »Ich habe dein Leben geschont... Denk daran, wenn du deine Rache nimmst...« Wer
glaubst du denn, sei da unten, wer meinst du,
schlüge da an die Mauer? Glaubst du, daß er noch
am Leben ist, dein Vorgänger, der König, den du

vom Thron gejagt hast, von diesem Thron, auf
dem du sitzt, der Gefangene, den du ins tiefste
Verließ des Palastes hast werfen lassen?

Jede Nacht horchst du auf das unterirdische Pochen und bemühst dich vergebens, seine Botschaften zu entziffern. Aber dir bleibt der Zweifel, ob es nicht doch nur ein Pochen in deinen
Ohren ist, das Klopfen deines erregten Herzens;
oder auch die Erinnerung an einen Rhythmus, die
sich in deinem Gedächtnis regt und dir Angst
macht, Gewissensbisse. Auf nächtlichen Eisen-
bahnfahrten verwandelt sich das immergleiche
Rattern der Räder im Halbschlaf zu wiederholten
Wörtern, zu einer Art monotonem Gesang. Gut
möglich, ja sogar wahrscheinlich, daß jedes Auf-
und Abschwellen von Tönen in deinem Ohr zur
Klage eines Gefangenen wird, zum Rachegesang
deiner Opfer, zum drohenden Schnauben der
Feinde, die du nicht umzubringen vermagst...
   Du tust gut daran zu horchen, deine Aufmerksamkeit keinen Moment erlahmen zu lassen;
doch überzeuge dich davon: Was du da hörst,
bist du selber, in deinem eigenen Innern regen
sich die Gespenster. Etwas, das du nicht einmal
dir selber zu sagen vermagst, ist da qualvoll bemüht, sich Gehör zu verschaffen... Du bist nicht
davon überzeugt? Du willst einen sicheren Beweis, daß das, was du da hörst, aus deinem Innern
kommt und nicht von außen?
   Einen sicheren Beweis kriegst du nie. Denn es

ist wahr, die Zellen im Untergrund des Palastes sind voll von Gefangenen: Anhänger des abgesetzten Souveräns, als untreu verdächtigte Höflinge, Unbekannte, die sich im Fahndungsnetz deiner Polizei verfangen, das periodisch ausgelegt wird zur präventiven Abschreckung, und die dann vergessen in den Sicherheitszellen enden... Bedenkt man, daß all diese Leute Tag und Nacht ihre Ketten schütteln, mit ihren Blechlöffeln auf ihre Blechnäpfe schlagen, im Sprechchor Proteste skandieren, aufständische Lieder singen, so ist es nicht weiter erstaunlich, wenn ein fernes Echo ihres Lärmens bis zu dir heraufdringt, obwohl du die Wände und Böden hast schalldicht machen und diesen Saal mit schweren Stoffen hast auskleiden lassen. Nicht auszuschließen, daß es tatsächlich aus den Verliesen kommt, dieses Klopfen, das dir eben noch wie ein rhythmisches Trommeln vorkam und das jetzt zu einer Art tiefem, dumpfen Grollen geworden ist. Jeder Palast ruht auf einem Unterbau, in dem einige lebend begraben sind oder tot keine Ruhe finden. Es nützt nichts, daß du dir die Ohren zuhältst, du wirst es trotzdem weiter hören.

Fixiere dich nicht so auf die Palastgeräusche, sonst bleibst du drin stecken wie in einer Falle. Komm raus! Entweiche! Streune! Draußen, um den Palast herum, erstreckt sich die Stadt, die Hauptstadt des Reiches, deines Reiches! Du bist nicht König geworden, um diesen tristen und dunklen

Palast zu besitzen, sondern die bunte, quirlige, lärmende Stadt, die von tausend Stimmen widerhallt!

Die Stadt liegt da in der Nacht, zusammengerollt wie eine Katze, sie schläft und schnarcht, sie träumt und knurrt, Schatten- und Lichtflecken wechseln jedesmal, wenn sie sich auf die andere Seite dreht. Jeden Morgen läuten die Glocken, festlich, Alarm oder Sturm. Sie schicken Botschaften, aber nie kannst du sicher sein, was sie dir wirklich sagen wollen: Mit dem Klang der Totenglocken erreicht dich, vom Wind hineingemischt, eine erregende Tanzmusik; mit dem Festgeläute ein gräßlicher Schrei. Es ist der Atem der Stadt, auf den du horchen mußt, ein Atem, der rauh und keuchend sein kann oder ruhig und tief.

Die Stadt ist ein fernes Rauschen tief innen im Ohr, ein Brausen von Stimmen, ein Sausen von Rädern. Wenn im Palast alles still ist, regt sich die Stadt, die Räder surren die Straßen entlang, die Straßen laufen wie Radspeichen auseinander, die Schallplatten drehen sich auf den Grammophonen, die Nadel kratzt auf einer alten Schellackplatte, die Musik kommt und geht, stoßweise, in Wellen, hinunter in die lärmenden Straßenschluchten oder hinaufgetragen vom Wind, der die Windräder auf den Kaminen dreht. Die Stadt ist ein Rad, das als Nabe den Ort hat, an welchem du reglos dasitzt und horchst.

Im Sommer dringt die Stadt durch die offenen Fenster in den Palast ein, kommt in den Thronsaal geflogen mit all ihren offenen Fenstern und ihren Stimmen, dem Lachen und Weinen, dem Lärmen der Preßlufthämmer, dem Krächzen der Kofferradios. Du kannst es dir sparen, auf den Balkon zu treten, um auf die Dächer hinunterzusehen, von oben würdest du keine der Straßen wiedererkennen, durch die du das letzte Mal am Tag deiner Krönung gezogen bist, als der Festzug zwischen den Fahnen und Blumengirlanden und paradierenden Wachen vorrückte und dir schon damals alles fremd vorkam, fern, nicht wiedererkennbar.

Die Abendkühle dringt nicht bis in den Thronsaal vor, aber du erkennst sie am Summen des Sommerabends, das zu dir heraufgelangt. Auf den Balkon zu gehen laß lieber bleiben: Du hättest nichts anderes davon als Mückenstiche und würdest nichts lernen, was nicht schon in diesem Brausen enthalten wäre, in diesem Rauschen wie dem einer Muschel am Ohr. Die Stadt rauscht wie ein Ozean in den Windungen einer Muschel oder des Ohrs: Wenn du konzentriert auf die Wellen horchst, weißt du nicht mehr, was Palast und was Stadt ist, was Ohr und was Muschel.

Zwischen den Lauten der Stadt erkennst du hin und wieder einen Akkord, eine Tonfolge, ein Motiv: Fanfarenstöße, das Psalmodieren von Prozessionen, singende Schulkinder, Trauermärsche, Revolutionslieder, die ein Demonstrationszug gegen dein Regime anstimmt, Hymnen zu deiner Ehre aus dem Munde der Truppen, die gegen den Demonstrationszug vorgehen und die Stimmen der Opponenten zu übertönen versuchen, Tanzmusik, die der Lautsprecher eines Lokals mit voller Kraft hinausbrüllt, um die Leute davon zu überzeugen, daß die Stadt ihr glückliches Leben fortsetzt, Klagegesänge von Frauen, die einen Toten beweinen, der bei den Zusammenstößen ums Leben gekommen ist. Das ist die Musik, die du hörst; aber kann man es Musik nennen? Aus jedem Klangfetzen suchst du weiter Signale, Informationen, Indizien zu entnehmen, als wollten in dieser Stadt alle, die musizieren, singen oder Platten auflegen, nichts anderes, als dir präzise und klare Botschaften senden. Seit du den Thron bestiegen hast, ist es nicht mehr die Musik als solche, der du lauschst, sondern nur noch die Bestätigung, wie und wo überall man Musik verwendet: in den Riten der guten Gesellschaft oder zur Unterhaltung der Massen, zur Pflege der Traditionen, der Kultur oder der Mode. Jetzt fragst du dich, was es dir früher bedeutete, einer Musik aus schierer Lust am Eindringen in den Bauplan der Töne zu lauschen.

Früher genügte es dir, um dich heiter zu stimmen, tonlos »Tamtaratam« zu machen, mit den Lippen oder auch bloß in Gedanken, zur Imitation einer Melodie, die du irgendwo aufgeschnappt hattest, sei's in einem schlichten Liedchen oder in einer komplizierten Symphonie. Jetzt probierst du, »Tamtaratam« zu machen, aber nichts passiert: Kein Motiv kommt dir in den Sinn.

Da war eine Stimme, ein Lied, eine Frauenstimme, die der Wind hin und wieder zu dir hinauftrug aus einem offenen Fenster, ein Liebeslied, das der Wind dir in Sommernächten zutrug, stoßweise, und kaum meintest du, ein paar Noten erfaßt zu haben, verlor es sich wieder, nie warst du sicher, ob du es wirklich gehört oder es dir bloß eingebildet, es dir bloß zu hören gewünscht hattest: der Traum einer singenden Frauenstimme im Alptraum deiner langen Schlaflosigkeit. Das war's, was du reglos horchend erwartet hattest: Nicht mehr die Angst läßt dich jetzt die Ohren spitzen. Du fängst wieder an, dieses Lied zu hören, klar und deutlich in jeder Note und Klangfarbe und Schattierung dringt es jetzt zu dir herauf aus der Stadt, die von jeder Musik verlassen gewesen war.

Seit langem hast du dich nicht mehr von etwas angezogen gefühlt, vielleicht seit der Zeit, als alle deine Kräfte auf die Eroberung des Thrones gerichtet waren. Doch von dieser Begierde, die dich damals verschlang, ist dir jetzt nur noch der Haß auf die niederzuschmetternden Feinde erinnerlich, der dich nichts anderes begehren noch denken ließ. Auch damals war es ein Todesgedanke, der dich ständig begleitete, Tag und Nacht, genauso wie jetzt, wo du hinunterhorchst in die Stadt, die da unten im Dunkel und Schweigen des

Ausnahmezustandes liegt, den du über sie verhängt hast, um dich gegen die Revolte, die sie ausbrütet, zu verteidigen. Und während dein horchendes Ohr noch den Marschtritten der Patrouillen durch die leeren Straßen folgt, beginnt da im Dunkel eine Frauenstimme zu singen, die Stimme einer unsichtbaren Frau am Fenster eines verdunkelten Zimmers, und auf einmal kommen dir unversehens wieder Gedanken ans Leben: Deine Wünsche finden wieder ein Objekt. Welches? Nicht jenes Lied, das du schon allzu oft gehört haben mußt, auch nicht jene Frau, die du nie gesehen hast: Was dich anzieht, ist jene Stimme als solche, als Stimme, die sich im Gesang darbietet.

Gewiß kommt diese Stimme von einer Person, die einzigartig und unwiederholbar ist wie jede Person, doch eine Stimme ist keine Person, sie ist etwas Schwebendes, Körperloses, abgelöst von der Solidität der Dinge. Auch die Stimme ist einzigartig und unwiederholbar, aber vielleicht auf eine andre Weise als die Person. Es könnte sein, daß Person und Stimme einander nicht ähneln. Oder einander auf eine geheime Weise ähneln, die man nicht gleich auf den ersten Blick erkennt: Die Stimme könnte das Äquivalent dessen sein, was in der Person das am tiefsten Verborgene und das Wahrste ist. Ist es ein körperloses Du, das jener körperlosen Stimme lauscht? Dann macht es keinen Unterschied, ob du sie wirklich hörst oder sie nur erinnerst oder dir einbildest.

Und doch, du willst, daß es dein leibliches Ohr sei, das jene Stimme wahrnimmt, und somit ist das, was dich anzieht, nicht bloß eine Erinnerung oder Einbildung, sondern die Vibration einer Kehle aus Fleisch und Blut. Eine Stimme heißt: da ist eine lebendige Person mit Kehle, Brust und Gefühlen, die diese Stimme hervorbringt, die so ganz anders ist als alle anderen Stimmen. Eine Stimme bringt das Gaumenzäpfchen ins Spiel, den Speichel, die Kindheit, die Patina des gelebten Lebens, die Intentionen des Sinnes, die Lust, den Schallwellen eine eigene Form zu geben. Was dich anzieht, ist die Lust, die von dieser Stimme verkörpert wird: verkörpert als Stimme, aber diese Lust bringt dich dazu, dir vorzustellen, in welcher Weise diese Person ganz anders sein könnte als jede andere, einzigartig wie ihre Stimme.

Versuchst du jetzt, dir die Frau vorzustellen, die da singt? Welches Bild du ihr auch in der Phantasie zuordnest, immer wird das Bild »Stimme« reicher sein. Du wirst dir sicher keine der Möglichkeiten, die es enthält, entgehen lassen wollen; darum tust du gut daran, dich an die Stimme zu halten, der Versuchung zu widerstehen, hinauszulaufen aus dem Palast und die Stadt zu durchsuchen, Straße für Straße, bis du die Frau gefunden hast, die da singt.

Aber du bist nicht mehr zu halten. Ein Teil von dir läuft bereits jener unbekannten Stimme entgegen. Angesteckt von ihrer Lust, sich hören zu lassen, wünschtest du dir, daß dein Hören von ihr gehört würde, am liebsten wärst jetzt auch du gern eine Stimme, die von ihr gehört würde, so wie du sie hörst.

Schade, daß du nicht singen kannst. Hättest du singen gelernt, wäre dein Leben vielleicht ganz anders verlaufen, glücklicher; oder trauriger in einer anderen Traurigkeit, einer harmonischen Melancholie. Vielleicht hättest du nie das Bedürfnis gehabt, König zu werden. Du würdest dich jetzt nicht hier befinden, auf diesem knarrenden Thron, um ins Dunkel hinauszuhorchen.

Tief in dir verschüttet existiert vielleicht deine wahre Stimme, der Gesang, der sich aus deiner zusammengeschnürten Kehle nicht befreien, von deinen trockenen und gespannten Lippen nicht lösen kann. Oder vielleicht irrt deine Stimme verloren durch die Stadt, Töne und Klänge verstreut im Brausen. Was niemand weiß, daß du es im Innersten bist, oder daß du es warst oder sein könntest, käme in jener Stimme zum Vorschein.

Probier's doch mal, konzentriere dich, ruf deine geheimen Kräfte zu Hilfe. Jetzt! Nein, das war's noch nicht. Versuch es nochmal, verlier nicht gleich den Mut. Da, jetzt – ein Wunder! Du traust deinen Ohren nicht! Woher kommt diese Stimme mit dem warmen baritonalen Klang, die sich da erhebt, sich aufschwingt, sich mit dem silbrigen Klang ihrer Stimme vereint? Wer singt da mit ihr im Duett, als wären es zwei komplementäre und symmetrische Seiten desselben Gesangeswillens? Du bist es, der da singt, kein Zweifel, dies ist deine Stimme, der du endlich ohne Befremdung oder Widerwillen zuhören kannst!

Doch woher nimmst du diese Töne, von wo gelingt es dir, sie hervorzuziehen, wenn deine Brust zusammengeschnürt und dein Mund verschlossen bleiben? Du hast dich überzeugt, daß die Stadt nichts anderes ist als eine physische Ausdehnung deiner Person – und woher sonst sollte wohl die Stimme des Königs kommen, wenn nicht aus dem Herzen der Hauptstadt seines Reiches? Mit derselben Schärfe des Ohrs, mit der du bis zu diesem Moment den Gesang jener unbekannten Frau hast aufnehmen und verfolgen können, versammelst du jetzt die hundert Fragmente von Tönen, die zusammengefügt eine unverwechselbare Stimme ergeben – jene, die allein deine ist.

So, nun entferne aus deinem Gehör jede Störung und jede Ablenkung, konzentriere dich voll: Du mußt die Stimme der Frau, die dich ruft, und deine Stimme, die sie ruft, beide gleichzeitig im selben Hör-Akt erfassen (oder willst du ihn Ohrenblick nennen?). Jetzt! Nein, noch nicht. Gib nicht auf, probier's noch mal. Gleich werden deine Stimme und ihre Stimme einander antworten und miteinander verschmelzen, so daß du sie nicht mehr auseinanderzuhalten vermagst...

Doch nein, zu viele andere Töne fahren dazwischen, frenetische, schneidende, schrille Töne:

Die Stimme der Frau verschwindet, erstickt vom Todeslärm, der das Draußen erfüllt, oder der vielleicht in deinem Innern ertönt. Du hast sie verloren, hast dich verloren, der Teil von dir, der sich in den Raum der Töne hinausprojiziert, irrt nun verloren durch die Straßen zwischen den Patrouillen des Ausnahmezustands. Das Leben der Stimmen war nur ein Traum gewesen, vielleicht hat es nur ein paar Sekunden gedauert, die Dauer der Träume – während draußen der Alptraum fortdauert.

Und doch, du bist der König. Wenn du eine Frau suchst, die in deiner Hauptstadt lebt und an ihrer Stimme erkennbar ist, wirst du ja wohl noch imstande sein, sie zu finden! Schick deine Späher aus, gib Order, daß man sämtliche Straßen und Häuser durchsuche! Doch wer kennt jene Stimme? Nur du. Niemand außer dir kann diese Durchsuchungen durchführen. Siehst du, endlich regt sich in dir ein konkreter Wunsch, und schon merkst du, daß König zu sein nichts nützt.

Warte, verlier nicht gleich den Mut, ein König hat viele Möglichkeiten, solltest du wirklich kein Mittel finden, um zu bekommen, was du willst? Du könntest einen Gesangswettbewerb anberaumen: Auf Befehl des Königs mögen sich alle Untertaninnen des Reiches, die eine Stimme zum Singen haben, freundlichst im Palast einfinden. Das wäre zudem ein kluger politischer Schritt, um die Gemüter in einer Zeit der Wirrnisse zu besänftigen und die Bindungen zwischen Volk und Krone zu festigen. Du kannst dir die Szene gut vorstellen: hier, im festlich geschmückten Thronsaal, ein Podium, ein Orchester, ein Publikum aus den feinsten Kreisen des Hofes, und du unerschütterlich auf dem Thron, die Ohren gespitzt, um jede Koloratur, jeden Triller mit der Aufmerksamkeit zu registrieren, die sich für einen unparteiischen Richter gehört. Und plötzlich hebst du das Szepter und verkündest: »Die ist's!«

Natürlich würdest du sie auf Anhieb erkennen. Keine ist so grundverschieden von denen, die gewöhnlich vor dem König singen, in den Spiegelsälen unter Kristallüstern, zwischen den Kentia-Palmen mit ihren weit geöffneten Wedeln. Du hast schon so oft Konzerte zu deinen Ehren gehört, zur Feier der glorreichen Jahrestage: Jede Stimme, die weiß, daß der König sie hört, gewinnt einen kühlen Schmelz, eine gläserne Selbstgefälligkeit. Jene dagegen war eine Stimme, die aus dem Dunkel kam, die es zufrieden war, sich zu manifestieren, ohne ans Licht zu treten, und eine Brücke zu allen anderen Präsenzen im selben Dunkel zu schlagen.

Aber bist du sicher, daß sie hier noch dieselbe Stimme wäre, hier, vor den Stufen des Thrones? Daß sie nicht versuchen würde, die Pose der Hofsängerinnen zu imitieren? Daß sie sich nicht vermengen würde mit den vielen Stimmen, die du zu hören gewohnt bist, denen du gnädig zuhörst, während du den Zickzackkurs einer Fliege verfolgst?

Nur eins könnte sie dazu bringen, sich dir zu enthüllen: die Begegnung mit deiner wahren Stimme, mit jenem Gespenst von Stimme, das du heraufbeschworen hast aus dem Tosen der Stadt. Es würde genügen, daß du zu singen begännest, daß du diese deine Stimme, die du immer vor allem verborgen hast, frei ließest, und sofort würde sie dich als den erkennen, der du wirklich bist, und würde mit deiner Stimme die ihre vereinen, die wahre.

Ein Aufschrei der Überraschung würde sich durch den Hof verbreiten: »Der König singt! Hört, wie der König singt!« Aber die Unterwürfigkeit, mit der es guter Brauch ist, dem König zu lauschen, was immer er sagt oder tut, würde rasch wieder die Oberhand gewinnen. Die Gesichter und Gesten würden eine servile und gemessene Zustimmung ausdrücken, als wollten sie sagen: »Seine Majestät geruht, eine Romanze anzustimmen...«, und alle wären sich einig, daß eine Gesangsdarbietung zweifellos zu den Prärogativen des Souveräns gehört (um dann unter der Hand mit Spott und Tadel über dich herzuziehen).

Kurzum, du könntest noch so schön singen, niemand würde dich hören. Man würde nicht dich, nicht deinen Gesang, nicht deine Stimme hören – man würde den König hören, so wie man einen König zu hören pflegt, indem man zur Kenntnis nimmt, was von oben kommt und nichts anderes bedeutet als das unwandelbare Verhältnis von oben und unten. Auch sie, die einzige Adressatin deines Gesangs, könnte dich nicht hören. Was sie hören würde, wäre nicht deine Stimme. Sie würde den König hören: in einem Hofknicks erstarrt, auf den Lippen das von der Etikette vorgeschriebene Lächeln, das eine vorgefaßte Ablehnung maskiert.

Jeder Versuch, aus dem Käfig auszubrechen, ist zum Scheitern verurteilt: Es hat keinen Zweck, dein Ich in einer Welt zu suchen, die dir nicht gehört, die vielleicht gar nicht existiert. Für dich gibt es nur den Palast, die hallenden hohen Gewölbe, die Wachwechsel, die Panzer auf dem knirschenden Kies, die raschen Schritte auf der Freitreppe, die jedesmal diejenigen sein könnten, die dein Ende ankündigen. Dies sind die einzigen Zeichen, mit denen die Welt zu dir spricht, du darfst sie keinen Moment außer acht lassen, sobald du dich zerstreust, zerbricht dieser schützende Raum, den du rings um dich aufgebaut hast, um deine Ängste zu bändigen und zu bewachen, und fällt in Stücke.

Du schaffst es nicht? Deine Ohren erdröhnen von neuem, ungewohntem Getöse? Du kannst nicht mehr unterscheiden zwischen dem Lärm, der von außen kommt, und dem aus dem Innern deines Palastes? Vielleicht gibt es gar kein Innen und Außen mehr: Während du hier bemüht warst, auf die Stimmen zu horchen, haben die

Verschwörer das Erlahmen deiner Wachsamkeit ausgenutzt und die Revolte entfesselt.

Dich umgibt kein Palast mehr, dich umgibt nur die Nacht voller Schreie und Schüsse. Wo bist du? Lebst du noch? Bist du den Attentätern entkommen, als sie in den Thronsaal eindrangen? Hat die Geheimtreppe dir den Weg zur Flucht geöffnet?

Die Stadt ist in Flammen und Schreien explodiert. Die Nacht ist in sich selbst explodiert, Dunkel und Schweigen stürzen in sich selber hinein und schleudern als ihre Kehrseite Feuer und Brüllen heraus. Die Stadt kräuselt sich wie ein brennendes Blatt. Du läufst ohne Szepter und Krone, niemand kann erkennen, daß du der König bist. Keine Nacht ist dunkler als eine Nacht voller Brände. Kein Mensch ist einsamer als einer, der in einer schreienden Menge läuft.

Die Nacht des offenen Landes wacht über den Konvulsionen der Stadt. Ein Alarmruf verbreitet sich mit den Schreien der Nachtvögel, doch je weiter er sich von den Mauern entfernt, desto mehr verliert er sich zwischen dem Rascheln im Dunkel von jeher: der Wind in den Blättern, das Plätschern der Bäche, das Quaken der Frösche. Der Raum erweitert sich in der tönenden Stille der Nacht, in der die Ereignisse plötzliche Lärmpunkte sind, die aufflammen und erlöschen: das Knacken eines abbrechenden Zweiges, das Quieken einer Schlafmaus, wenn eine Schlange in ihren Bau eindringt, das Fauchen zweier raufender

Kater, das Poltern abrutschender Steine unter deinem fliehenden Schritt.

Du keuchst, du keuchst, dir scheint, daß unter dem dunklen Himmel nur dein Keuchen zu hören sei und das Rascheln der Blätter unter deinen stolpernden Schritten. Warum sind die Frösche auf einmal still? Nein, da quaken sie wieder. Irgendwo bellt ein Hund... Bleib stehen. Andere Hunde antworten in der Ferne. Wie lange läufst du schon durch diese Finsternis? Du hast keine Ahnung mehr, wo du bist. Spitz die Ohren. Da keucht jemand so wie du. Wo?

Die Nacht ist ganz voller Atemgeräusche. Ein sanfter Wind hat sich erhoben wie aus dem Gras. Die Grillen zirpen pausenlos, überall. Sobald du ein Geräusch von den anderen isolierst, scheint es dir plötzlich ganz laut und deutlich hervorzubrechen; dabei war es auch vorher schon da, verborgen unter den anderen Geräuschen.

Auch du warst vorher schon da. Und jetzt? Du wüßtest keine Antwort zu geben. Du weißt nicht mehr, welches von diesen Atemgeräuschen das deine ist. Du weißt nicht mehr, wie man horcht. Hier ist niemand mehr, der noch auf irgendwas horcht. Nur die Nacht horcht auf sich selbst.

Deine Schritte hallen wider. Über dir ist nicht mehr der Himmel. Die Wand, die du berührst, war eben noch moos- und schimmelbedeckt; jetzt ist Felsen ringsum, nackter Stein. Wenn du rufst, hallt auch deine Stimme wider... Von wo?

»Hohooo... Hohooo...« Vielleicht bist du in einer Höhle gelandet: ein endloser Stollen, ein unterirdischer Gang...

Jahrelang hattest du Gänge unter dem Palast graben lassen, unter der Stadt, mit Verzweigungen ins offene Land... Du wolltest dir die Möglichkeit sichern, dich ungesehen überallhin zu begeben; du hattest das Gefühl, du könntest dein Reich nur aus den Eingeweiden der Erde heraus beherrschen. Dann hast du zugelassen, daß die Gänge verfielen. Und jetzt hast du dich in deinen Bau geflüchtet. Oder in deiner Falle gefangen... Du fragst dich, ob du hier je wieder hinausfinden wirst. Hinausfinden: Wo?

Klopftöne. Im Stein. Dumpf. Rhythmisch. Wie ein Signal! Woher kommen sie? Du kennst diesen Rhythmus. Es ist der Ruf des Gefangenen. Antworte! Klopf auch du an die Wand. Ruf zurück! Wenn du dich recht erinnerst, gelangt man durch dieses System von Gängen zu den Zellen der Staatsgefangenen...

Er weiß nicht, wer du bist: ein Befreier, ein Gefängniswärter? Oder einer, der sich im Untergrund verlaufen hat, so wie er selber, abgeschnitten von den Nachrichten über die Kämpfe in der Stadt, von denen sein Schicksal abhängt?

Wenn er außerhalb seiner Zelle umherirrt, müssen sie gekommen sein, um ihn zu befreien, sein Verließ zu öffnen und ihm die Ketten abzunehmen. Sie haben gesagt: »Der Usurpator ist gefallen! Du wirst zurückkehren auf den Thron! Du

wirst den Palast wieder in Besitz nehmen...«
Dann muß etwas dazwischengekommen sein, ein
Alarm, ein Gegenangriff der Königstreuen, die
Befreier sind durch die Gänge davongelaufen und
haben ihn alleingelassen. Natürlich hat er sich ver-
irrt. In diese Steingewölbe hier unten dringt kein
Licht, kein Echo von dem, was oben geschieht.

Jetzt werdet ihr miteinander sprechen können,
einander zuhören, eure Stimmen wiedererkennen. Wirst du ihm sagen, wer du bist? Wirst du
ihm sagen, daß du ihn wiedererkannt hast als den,
der so viele Jahre lang dein Gefangener war? Den
du deinen Namen hast verfluchen hören, als er
dir Rache schwor? Jetzt seid ihr beide hier unten
verloren und wißt nicht mehr, wer von euch beiden der König ist und wer der Gefangene. Fast
scheint dir, als würde sich dadurch, gleich wie es
ausgeht, nichts ändern: Schon immer, scheint dir,
warst du in diesem Untergrund eingeschlossen
und sandtest Signale... Dir scheint, dein Schicksal sei stets in der Schwebe gewesen, wie das seine. Einer von euch wird hier unten bleiben...
Der andere wird...

Aber vielleicht hat er sich hier unten schon immer oben gefühlt, auf dem Thron, mit der Krone
auf dem Kopf und dem Szepter in der Hand. Und
du? Hast du dich nicht stets als Gefangener gefühlt? Wie kann sich ein Dialog zwischen euch
entwickeln, wenn jeder statt der Worte des anderen nur immer die eigenen zu hören glaubt, wiederholt vom Echo?

Für einen von euch naht die Stunde der Rettung, für den anderen das Verderben. Und doch scheint die Angst, die dich nie verlassen hatte, nun fortgeblasen. Du horchst auf das Dröhnen wie auf das Rascheln, ohne noch das Bedürfnis zu haben, sie auseinanderzuhalten und zu entziffern, als bildeten sie miteinander eine Musik. Eine Musik, die dich an die Stimme der unbekannten Frau erinnert. Aber ist es Erinnerung, oder hörst du sie wirklich? Ja, sie ist es, das ist ihre Stimme, die jenes Motiv erklingen läßt wie einen Ruf unter den Felsgewölben. Sollte auch sie sich hierher verirrt haben, in dieser Nacht voller Endzeitgetöse? Antworte ihr, laß dich hören, schick ihr einen Ruf entgegen, damit sie im Dunkeln den Weg finden kann und dich findet. Warum schweigst du? Fehlt dir gerade jetzt die Stimme?

Da, ein anderer Ruf ertönt aus dem Dunkel, genau an der Stelle, von wo die Worte des Gefangenen kamen. Es ist ein gut erkennbarer Ruf, der da auf die Frau antwortet, es ist *deine* Stimme, die Stimme, der du Gestalt gegeben hattest, um auf die Stimme der Frau zu antworten, der Gesang, den du aus dem Wirrwarr von Tönen der Stadt gezogen hattest, um ihn aus dem Schweigen des Thronsaals ihr entgegenzuschicken! Der Gefangene singt deine Melodie, als hätte er nie etwas andres getan, als hätte sie nie ein anderer gesungen...

Sie antwortet ihm. Die beiden Stimmen gehen einander entgegen, überlagern einander, ver-

schmelzen, wie du sie schon einmal hattest verschmelzen hören in jener Nacht über der Stadt,
sicher, daß du es wärest, der mit ihr sang. Jetzt
hat sie ihn sicher erreicht, du hörst ihre Stimmen,
eure Stimmen, die sich gemeinsam entfernen.
Vergeblich suchst du ihnen zu folgen: Sie werden
bereits ein Raunen, ein Wispern, verklingen ...

Wenn du die Augen hebst, siehst du ein Schim-
mern. Über dir erhellt der nahende Morgen den
Himmel. Was dir ins Gesicht bläst, ist der Wind,
der die Zweige bewegt. Du bist wieder im Freien,
die Hunde bellen, die Vögel erwachen, die Farben kehren zurück auf die Oberfläche der Welt,
die Dinge besetzen wieder den Raum, die Lebe-
wesen geben noch einmal Lebenszeichen. Kein
Zweifel, auch dich gibt es wieder, da bist du, mit-
tendrin im Gewimmel der Laute, die sich allseits
erheben, im Sirren des Stroms, im Stampfen der
Kolben, im Kreischen der Räderwerke. Irgendwo
in einer Falte der Erde erwacht die Stadt mit einem Knarren und Rütteln und Hämmern, das zu-
nehmend lauter wird. Schon erfüllt ein Dröhnen,
ein Lärmen, ein Tosen den ganzen Raum und
verschluckt das Rufen, das Seufzen, das Schluch-
zen ...

Anmerkung

Das Buch, das Italo Calvino schreiben wollte, hätte den Titel ›Die fünf Sinne‹ bekommen sollen. Die Niederschrift brach nach den ersten drei hier publizierten Erzählungen ab. Es fehlen also diejenigen über den Gesichts- und den Tastsinn.

Die titelgebende zweite Erzählung ist in der Zeitschrift ›FMR‹ vom 1. Juni 1982 unter dem Titel ›Sapore Sapere‹ (etwa: Schmecken Wissen) erschienen. Auf Weisung des Autors wurde der Titel ›Unter der Jaguar-Sonne‹ wiederhergestellt.

Das Motto auf S. 33 hieße zu deutsch etwa: *Schmecken,* generell den Geschmackssinn ausüben, davon den Eindruck empfangen, auch ohne bewußtes Wollen oder anschließende Reflexion. Das Kosten erfolgt entschiedener, um etwas zu schmecken und zu wissen, was man schmeckt; oder zumindest denotiert es, daß wir von dem empfundenen Eindruck ein reflektiertes Empfinden haben, eine Vorstellung, einen Erfahrungsansatz. Daher bedeutet *sapio* für die Römer im übertragenen Sinne soviel wie richtig empfinden; daher auch der Sinn des italienischen *sapere,* was an sich soviel wie richtige Lehre heißt, sowie das Überwiegen der Weisheit über die Wissenschaft.

Ein wundersamer
Schöpfungsbericht

Wenn der Magier Calvino mit seinem Zauberstab
seismische Wellen in Schwung bringt, wenn
ausgewachsene Dinosaurier der Weltschmerz
packt, wenn handfeste Mondstöchter und schlüp-
frige Molusken ihr Unwesen treiben, wenn neue
Planeten aus Konzertflügeln, Birnengriebschen,
alten Nummern der *Herald Tribune* und anderem
Plunder entstehen, dann ist wieder eines dieser
literarischen Minenfelder gelegt, in denen wun-
derbare und überraschende – in einem Wort, cos-
micomische – Gefahren auf den Leser lauern.

Aus dem Italieni-
schen von
Burkhart Kroeber
442 Seiten. Leinen

Italo Calvino
im dtv

Foto: Isolde Ohlbaum

Das Schloß, darin sich Schicksale kreuzen

Der Schloßherr zieht ein Kartenspiel hervor, Tarockkarten. Und plötzlich scheinen die Figuren den Anwesenden zu gleichen. dtv 10284

Die unsichtbaren Städte

»Calvino entwirft im stilistisch knappen und eleganten Filigran seiner 55 Städteportraits eine Vision unserer Welt ...« (Basler Zeitung) dtv 10413

Wenn ein Reisender in einer Winternacht

Ein brillantes Verwirrspiel um einen Lesenden und eine (Mit-)Leserin, die von einer Geschichte in neun andere geraten. dtv 10516/dtv großdruck 25031

Der Baron auf den Bäumen

Als Zwölfjähriger steigt der Baron auf eine Steineiche und wird bis zu seinem Tode nie mehr einen Fuß auf die Erde setzen. dtv 10578

Der geteilte Visconte

Medardo di Terralba kehrt aus den Türkenkriegen im wahrsten Sinne in zwei Teile gespalten zurück. Zu allem Überfluß verlieben sich auch beide Hälften des Visconte, die gute wie die schlechte, in dieselbe Frau. dtv 10664

Der Ritter, den es nicht gab

Innen hohl, besteht Ritter Agilulf nur aus Rüstung, Kampfgeist und Pflichtgefühl: das Musterbild eines ordentlichen Soldaten. dtv 10742

Herr Palomar

Herrn Palomars Leidenschaft ist das Betrachten; immer treiben ihn seine Phantasie und diskrete Neugier in wahrhaft abenteuerliche Denkspiralen und Selbstgespräche. dtv 10877

Abenteuer eines Reisenden

Auf seine unnachahmliche Art seziert Calvino scheinbar alltägliche menschliche Begegnungen so genau, daß sie zu phantastischen Abenteuern werden. dtv 10961

Zuletzt kommt der Rabe Erzählungen

Fesselnde Skizzen von der brutalen Realität des Partisanenalltags während des Zweiten Weltkriegs und prägnante Ausschnitte aus dem Leben der kleinen Leute in der ersten Nachkriegszeit. dtv 11143